Audrey Gauthier

DERRIÈRE la NEIGE

Les **4 saisons** d'une famille française au **Québec**

Les éditions
Goélette

À Inès et Shady

© Audrey Guiller, Les Éditions Goélette, 2011

Graphisme : Geneviève Guertin
Illustrations : Shutterstock et Julie Jodoin Rodriguez

Dépôts légaux : 1er trimestre 2011
Bibliothèque nationale et archives du Québec
Bibliothèque nationale du Canada

Les Éditions Goélette bénéficient du soutien financier de la SODEC pour son
programme d'aide à l'édition et à la promotion.

Nous remercions le gouvernement du Québec de l'aide financière accordée
par l'entremise du Programme de crédit d'impôt pour l'édition de livres,
administré par la SODEC.

ASSOCIATION
NATIONALE
DES ÉDITEURS
DE LIVRES
Membre de l'Association nationale des éditeurs de livres.

Imprimé au Canada

ISBN : 978-2-89638-883-7

DERRIÈRE LA NEIGE

Les 4 saisons d'une famille française au Québec

Note de l'auteure : Les Français qui ne comprennent soi-disant rien au parler québécois, merci, on y a droit tous les jours ! Mais les Québécois perplexes devant des expressions françaises obscures... avouons-le : c'est tabou. Par respect du public, nous sous-titrerons donc en québécois certaines répliques françaises pittoresques. Pour une fois que la traduction a lieu dans ce sens, profitons-en...

ÉCRAN QUI FOURMILLE
DE POINTILLÉS
GRIS,
NOIRS
ET
BLANCS.

Neige.

Long silence.

Soudain. Générique musical. Tempo endiablé. Flashs de lumières. Images qui s'enchaînent sans respirer. Subliminales. Jaune érable/Azur lac/Orange écureuil/Vert épinette/Fluo Le Village/Rouge brique/Fluorescent flocon/ Rose cupcake/Bleu hockey/Noir ours/Argent lame sur glace.

Puis, plus rien. Écran qui fourmille de pointillés gris, noirs et blancs.

Neige.

Long silence.

— Un an, tu dis ? Quatre saisons ? À Montréal ? Il faut décider tout de suite ? Je n'ai jamais mis un seul pied au Québec !

— Fie-toi à ton instinct. Qu'est-ce que ça t'évoque, le Canada ?

— De la neige.

— C'est tout ?

— Non… Un sentiment qu'il y a quelque chose derrière. Des couleurs, des personnages, des intrigues, des décors…

— Alors ?

— Alors… on y va !

Saison pilote:
AVANT LE DÉPART

DANS LES ÉPISODES PRÉCÉDENTS...

À Rennes – Bretagne –, Pierre, chercheur sondant les cerveaux, prévient Audrey, journaliste, que son travail pourrait les amener à aller vivre à l'étranger.

L'Internationale du cerveau.

Quand Pierre évoque un poste à Santa Monica, Audrey lève un sourcil et se procure le plan des maisons des stars d'Hollywood.

Et puis, non.

Trois ans plus tard, Pierre parle de cet autre poste à Leipzig. « Pas Allemagne de l'Est, EX-Allemagne de l'Est », rectifie-t-il.

Audrey s'interroge. Aurait-elle dû lui repasser ses chemises ?

Audrey propose qu'ils y réfléchissent. Longtemps. Très longtemps.

Un soir, Pierre parle d'une opportunité à Montréal. Pour une année.

Audrey dit « banco ». La grande Leslie de 17 ans dit « banco ». Le moyen Pablo de 13 ans dit « banco ». La petite Sencha de 2 ans dit « danpo ». Mais les autres comprennent quand même.

Et l'imposante famille recomposée commence à mettre tout son appartement en cartons, direction l'expatriation.

Dans leur tête à tous, le Canada, c'est la neige.

Et dans leur tête à tous plane une question :

Qu'y a-t-il, derrière toute cette neige ?

LE FOYER

— Et vous allez louer votre logement en laissant tous vos meubles ? Dis donc, il faut avoir confiance… Imagine : tu laisses ton appartement à quatre étudiants en première année d'arts plastiques ! Des garçons ! En colocation ! Eh bien, c'est le dépaysement garanti. Quand tu reviens, tu ne reconnais même plus ta porte d'entrée…

— Ha, ha ! Et puis quoi, encore ? On n'est pas fous, quand même ! On va sélectionner les candidats.

AVRIL 2009

«Cause départ étranger, propriétaires meublé cherchent couple de retraités non fumeurs, sans animaux, sans amis, sans chaussures à talons et particulièrement honnêtes, pour location d'un an.»

MAI 2009

«Cause proche départ étranger, propriétaires meublé cherchent famille calme : parents maniaques et enfants détestant sauter sur les canapés ou redécorer la tapisserie, pour location d'un an.»

JUIN 2009

«**URGENT** - Cause départ étranger imminent, propriétaires meublé cherchent n'importe qui pour location d'un an. Punks et chiens acceptés.»

— Alors ? Vous avez trouvé à louer ?

— Bien sûr. Quatre étudiants. Des garçons. En première année. En colocation. Non mais, il faut bien leur donner leur chance, non ? Franchement, ça m'énerve, tout ce racisme anti-jeunes…

15

L'ANGOISSE

– Pierre, tu dors?

– …

– Tu dors ou pas?

– «Ou plus», tu devrais demander…

– Moi, je ne dors pas.

– … (Bâille.)

– J'ai peur.

– Hmmm?

– J'ai peur d'aller au Québec. Et s'ils mettent du sirop d'érable dans tout? Parce que moi, je n'aime pas trop le sirop d'érable, en fait. En plus, je n'arrive pas à comprendre: est-ce qu'ils portent vraiment des tenues de ski tous les jours pendant l'hiver, oui ou non? Et quand on prend le métro, on fait comment? Et au bureau, ils gardent leurs bottes de neige? Et c'est quoi exactement une tempête de neige? C'est comme une tempête de sable? Avec de la neige? Et mon épilateur, il ne va pas fonctionner sur les prises québécoises… Il va marcher à vitesse réduite, m'arracher les poils au ralenti, comme dans une pub de Royal Canin. Un supplice! Et le gras trans? On t'a parlé du gras trans? Il y en a dans tout, à ce qu'il paraît. On va gon-fler! Et comment se faire des amis? Les Québécois nous trouvent hautains et prétentieux. Il faut que je me fasse des mémos: ne surtout pas corriger leur français. **NE SURTOUT JAMAIS CORRIGER LEUR FRANÇAIS.** En plus, je n'ai jamais écouté un seul disque de Céline Dion, c'est vrai, ça: et s'ils me posent des questions? Et imagine que je sois allergique au pollen d'érable, c'est allergisant, ça, le pollen d'érable?

– **Hmmmm…** Audrey, et si le Québec te rendait zen ? Ça se pourrait, ça ?

– Oh non, tu crois ? Quand même pas ! Je n'y avais pas pensé ! Zen ? Effrayant ! C'est **ef-fray-ant** !

LES CARTONS PERDUS

– Il est où, le papier qui était posé là, juste sur la petite table ?

– **Ha, ha !** Le redoutable déménageur a encore frappé ! Plus vite que son ombre, il a fait disparaître dans un sac poubelle tout ce qui traînait sur cette petite table. Et il a jeté directement le sac poubelle dans la benne du camion, médusé par tant d'efficacité.

– Sur ce papier était soigneusement inscrite la liste de tous les cartons numérotés et la manière dont on les a répartis dans les huit caves de mes parents, de tes parents et des copains.

– **Ah.**

– La parole est au redoutable déménageur :

– Euh… Bien, on n'aura qu'à faire un grand pique-nique, à notre retour, en disant : «N'oubliez pas d'apporter du vin et les vingt caisses de notre déménagement qui traînent encore dans votre cave.»

– Hilarant.

– Oh, ne t'en fais pas, va ! Quand quelqu'un nous appellera pour nous prévenir que sa cave a été cambriolée, on se souviendra qu'on lui avait laissé des cartons…

LES ENCOURAGEMENTS

– Alors c'est vrai, Audrey? Vous partez vivre à Montréal? C'est super, ça!

– Oui, c'est chouette!

– Ce qui est pratique, c'est que vous allez trouver à vous loger vraiment rapidement. Il paraît qu'il y a un roulement des appartements très important du côté des expatriés. Les gens ne tiennent pas l'hiver. À cause de la neige.

– **Ah.**

– Non, mais les Québécois sont hyper sympas! Tu vas me dire, c'est normal de se serrer les coudes, il y a un des taux de suicide les plus élevés au monde, là-bas. À cause de la neige.

– **Ah.**

– En plus, ça va être génial, vous allez découvrir la télé québécoise, parce que laisse tomber, à 16 heures, il fait nuit et beaucoup trop froid pour sortir. À cause de la neige.

– On n'a pas la télé.

– Ah… Eh bien, bon voyage, en tout cas. On pourra venir vous voir?

– Non. À cause de la neige…

19

LES DOLLARS

— Récapitulons, ma chère : tu es allée à la banque, hier, et tu as demandé qu'ils annulent ta carte de crédit, et seulement la tienne, dans un mois, soit la veille de notre départ.

— C'est ça.

— Et la banquière, elle, elle a compris qu'il fallait annuler nos deux cartes de crédit tout de suite.

— Apparemment.

— Vous avez fait un téléphone arabe ?

— Avec Sencha au milieu, oui. Les banques sont tellement ennuyeuses…

— Bon, on fait quoi, maintenant ? Parce que les propriétaires de l'appartement à Montréal attendent le montant du premier loyer avant demain. Sinon, ils louent le logement à quelqu'un d'autre.

— On n'a même pas mis un pied dans l'appart qu'on est déjà des gros boulets.

— On est Français. Ils savent à quoi s'attendre…

— Si on allait réfléchir tranquillement à ça en terrasse, devant une bière ?

— On n'a plus un euro. On ne peut plus tirer d'argent. Les chéquiers sont dans les cartons.

— Parfait.

— Allons emprunter des sous à quelqu'un de sympa. Une idée ?

— Euh… Les futurs proprios ? On ne dit pas « sympa comme un Québécois » ?

LA DEUXIÈME CHANCE

Personne ne le saura.
Je pars m'installer dans une ville où nul ne me connaît.
Je pourrais devenir quelqu'un d'autre.
Être la fille que j'ai toujours rêvé d'être.
Celle qui ne fait pas qu'acheter *Le Monde Diplomatique*, mais qui le lit aussi.
Celle qui ne repasse pas ses jeans qu'avec les doigts.
Celle qui fait ses comptes.
Montréal me donne une deuxième chance.
Celle d'arriver sur un mur de neige où j'aurai tout le loisir de dessiner mes nouveaux contours.
Avec les encouragements d'un public fraîchement acquis à ma cause : je suis actuellement la Française qui part vivre au Canada. Considérée comme cool.
Au Canada, je serai la fille qui est venue de France. Considérée comme tout aussi cool.
Évidemment, à mon retour, je ne serai qu'une pauvre Française qui vit en France, retombant dans le marais de l'anonymat comme une pierre qui ne fait même pas de ricochet.
Il sera bien temps, alors, de sombrer dans la dépression.
Mais pour le moment, ma nouvelle vie m'appelle.
Je pourrais me faire appeler Audrée-Ann et ne plus jamais perdre mes clés.
Changer de tête, tomber le masque, mentir sur mon âge.
Qui vais-je choisir d'être ?

LES VISAS

– Ça peut prendre deux jours, deux semaines ou deux ans, ils ne savent pas.

– Quoi ? Quoi ? Quoi ?

– Alors, par souci de pédagogie, Audrey, je répète : La Poste est formelle. Ils ont perdu le courrier contenant tous nos passeports et nos visas. C'était un courrier suivi, mais ils ont bêtement omis de l'enregistrer au départ. Ils n'ont donc absolument aucune idée de l'endroit où il s'est planqué. Per-du. Il refera surface quand il voudra. Ça peut prendre deux…

– Deux mois ? Deux ans ? Mais on part dans deux jours ! Notre avion décolle dans deux jours !

Aaaaaaaaaaaaaaaaaaaaaaaaaaaah !

– Non, non, non. On ne cède pas à la panique. Ce n'est quand même pas la fin du monde ! Au pire, quoi ? La lettre est perdue à jamais, il nous faut deux mois pour refaire nos passeports, on perd l'argent de nos billets d'avion et celui des loyers versés à Montréal. Et comme on n'a plus d'appartement ici, on passe l'été à camper dans le jardin de ta mère. OK. Tu as raison.

Aaaaaaaaaaaaaaaaaaaaaaaaaaaah !

SAISON 1 :
ÉTÉ

DANS LES ÉPISODES PRÉCÉDENTS...

Pierre et Audrey ont été bien sages cette année.

C'est sûrement pour cela que le père Noël décide de leur rendre leurs visas et leurs passeports.

À moins que, en panne de lutins, le père Noël ait choisi d'importer un peu de main-d'œuvre.

Car tout le monde sait bien qu'il habite au Québec.

Bien sûr, il ne rend les précieux documents que la veille du départ.

Car le père Noël a beaucoup d'humour.

À moins qu'il ait particulièrement apprécié de voir Pierre et Audrey se débattre dans le «promis-juré, on sera encore plus sages l'année prochaine».

Dans la voiture pour l'aéroport, pour se venger, Audrey ne pleure pas.

Dans l'avion, Pierre mange la collation de Sencha. Décrétant qu'il faut profiter du dernier vrai repas de l'année.

Dans le taxi, Audrey trouve que Montréal ressemble à l'Amérique.

Dans la foulée, le chauffeur se fâche.

Dans son lit-parapluie, Sencha s'endort tout de suite. Et décide que 3 heures du matin est l'heure adéquate pour commencer sa nouvelle vie.

Dans l'appartement vide, chacun pose sa valise.

Évidemment, question mobilier, ça ne fait pas encore assez.

Mais dans cette ville toute neuve, dans cette vie toute neuve, où toutes les scènes semblent accompagnées d'un rayon de soleil bien programmé, d'une musique de fond romantique, de feux d'artifice crépitant à point nommé et de rires préenregistrés, on se dit que rien n'est grave. Que tout est merveilleux. Comme à la télé.

Car les fantasmes importés de France, eux, n'ont pas été très lourds à porter.

LA SUÈDE

— Tout ?

— Tout. Vraiment tout. C'était le *deal*, Pierre.

— Ça ne va pas faire trop ?

— J'ai dit OK à l'expatriation si et seulement si je pouvais transformer un appartement entièrement vide en catalogue IKEA en moins de 24 heures. Le rêve inavouable de toute trentenaire.

— Tout un appartement IKEA, ça ne va pas faire un peu ringard ?

— Même pas peur.

— Et on est vraiment obligés d'y aller ce matin ? Je veux dire, passer la première journée de ma vie montréalaise à IKEA, ça n'était pas forcément la folle aventure que j'imaginais…

— À ce qu'il paraît, ils ont des passoires qu'on n'a pas en France.

— Excitant.

— Et puis le trio tables-valises, fourchettes Air France et matelas gonflables, ça ne va pas être éternel…

— Hey ! C'est pratique, les matelas gonflables…

— Si on avait un gonfleur pour les gonfler, ça le serait encore plus…

— On ne peut pas penser à tout.

LA RUE

— **Wow!** Quarante-deux minutes…

— Quarante-deux minutes, quoi?

— Marcher d'un bout à l'autre de notre rue prend exactement 42 minutes. Genre, tu invites «juste» tes voisins à ta crémaillère et il faut demander des autorisations à la mairie. Ha, ha!

— Et dire que Leslie était contente de voir que sa fac avait presque la même adresse que la maison…

— Ça ne te dit pas ça, comme balade, dimanche prochain? Aller-retour dans notre rue? Bam: 1 heure et demie!

— …

— Ah. Je vois. Monsieur n'aime pas trop les expériences de l'extrême… Eh bien tant pis. Monsieur comprendra sa douleur quand il faudra frapper à **TOUTES** les portes, le soir d'Halloween.

28

BIENVENUE

– Ça fera 3 dollars, madame. Voilà les bagels.

– Merci.

– Bienvenue!

– Euh… effectivement, je ne suis pas d'ici. Sympa, le petit mot d'accueil! Merci!

– Bienvenue!

– Ouais, OK, c'est bon, ben merci!

– Bienvenue!

– **Hé, ho! Pieeeeeeeeeeeeeeeerre!** Qu'est-ce qu'on fait quand un Québécois se moque de nous?

- «Bienvenue», c'est la formule de politesse qui veut dire «de rien». Comme *«you're welcome»*.

– (Sourire gêné) Évidemment.

BIENVENUE AU QUÉBEC

29

Le pays où l'Anglais est le frère du Français. Et l'anglais, celui du français.

LE POULET FRIT

– Tu as vu ce *fast-food*, là ? Il s'appelle PFK. C'est drôle, ça, PFK. En plus, le logo ressemble comme deux gouttes d'eau à celui de KFC.

Le chauffeur de taxi :

– Ben oui, c'est Poulet frit Kentucky.

– **Nooooon !** Ha, ha, ha ! morte de rire ! Ils sont terriiiiibles, ces Québécois. Jusqu'à franciser **Kentucky Fried Chicken !**

Non mais, franchement !

Le chauffeur de taxi :

– C'est peut-être parce que quand un Français dit **«Kennetuqui fraïd chiqueune»,** personne ne comprend.

Susceptibles, ces chauffeurs de taxi…

LA COMMUNICATION

– Tu crois qu'on va survivre ?

– Pas dur de ne plus avoir de cellulaire quand on n'a plus personne à appeler.

– Merci de me remonter le moral.

– Non, mais regarde, ici, il y a encore des cabines téléphoniques partout ! Ce ne sont pas des pièces de musée, comme en France. Surtout, on va prendre une ligne Bell à la maison. À quoi nous servirait un portable ?

– OK. D'accord. Qu'est-ce qu'il faut faire auprès de Bell pour qu'ils viennent nous installer le téléphone ?

– Les appeler.

– J'en ai déjà marre.

LA NOUVELLE HEURE

Pour la première fois de ma vie, je suis une fille cool.

Je ne me lève jamais avant midi.

Plutôt vers 13 heures.

Je fais partie de ces gens qui snobent le matin.

Quand ma journée commence, mes copains sont déjà au boulot, à la crèche, aux champs. Même mes frères sont déjà habillés.

Et moi, désinvolte, je me lève.

Et quand ils se couchent à l'heure des poules, eh bien moi, je veille encore.

Je mange, je parle, je ris, je pense à eux qui ronflent.

Jusqu'à, allez… 4 heures du mat'!

Et c'est comme ça tous les jours.

Oui… je sais.

Mes amis sont en Europe.

Et moi, en Amérique.

Ça s'appelle le décalage horaire.

Oui, c'est tricher. Je sais.

En fait, rien n'a changé.

Après 23 heures, je n'ai toujours plus aucun œil ouvert.

Et tous les matins, à 7 heures : **ding!** Un vrai coucou suisse. Je sais.

Je ne suis toujours pas une fille cool, quoi.

Tant pis.

LES DÉMÉNAGEURS

— La déception! Pour un 1er juillet, je m'étais préparée à un feu d'artifice de camions de déménagements. Des rues comme des ruches, bourdonnant de frigos baladeurs et de canapés trop lourds!

— Et puis?

— Même pas 10 petites camionnettes.

— Les mythes montréalais, Audrey… Même si ce n'est plus exactement vrai, il faut garder l'image.

— Pourquoi?

— Tous les Québécois qui décident de trimballer des caisses et de lessiver leurs fenêtres le jour de la fête du Canada, alors qu'ils ont célébré la gloire du Québec juste une semaine avant, tu ne trouves pas ça louche? Est-ce que tu prends rendez-vous chez le dentiste le jour de ton anniversaire, toi?

— Oh! En fait, les Québécois boudent! Ça alors… Et cette entreprise qui a déménagé les affaires de Karima en vélo?

— Des ultra-souverainistes, je ne vois que ça…

33

L'HERBE

– C'est calme, notre rue, hein ? Une bonne petite rue résidentielle à l'américaine. Tout plein de gentilles familles philippines, de petits vieux polis et de maisons bien astiquées.

– Hein, hein.

– Ça change des punks à chiens du centre-ville rennais.

– Hein, hein.

– Eh ben, tu sais quoi ? Ce matin, j'ai failli m'étrangler. Un jardin, un peu plus haut, était tout enrubanné de kilomètres de scotch jaune « ***DANGER, NO TRESPAS-SING*** », tu vois, comme dans les séries à la télé, après un meurtre.

– Non ! Y avait la police ?

– Ben, y avait un vieil Asiatique.

– **Mort ?**

– Pas exactement. Il était assis sur ses marches. Il fixait le gazon qu'il venait de semer. Peur que quelqu'un ne le piétine. Et il ajustait son scotch. *« No trespassing »,* sur son gazon, quoi.

– Ouais. C'est calme, notre rue.

– Hein, hein.

LA TENTATION

— Sencha, pour le déjeuner, tu préfères manger un sandwich au saumon ou des pâtes au saumon?

— Z'aime pas très le poisson, moi, maman. Ze préfère des pâtes au sandwiss.

— Alors. Je n'ai pas dû être bien claire. Tu…

— Allo! Vous êtes prêts à commander?

— Allo! Alors, moi, je prendrai la salade mexicaine, s'il vous plaît.

— OK. Pour un dollar de plus, vous pouvez avoir des nachos au fromage. Ça vous tente-tu?

— **Beeeeen**. Un dollar? D'accord.

— Monsieur?

— Je vais prendre les côtes levées, s'il vous plaît.

— Si vous ajoutez un dollar, en offre spéciale, vous aurez du poulet et du bacon en extra.

— Euh, pourquoi pas?

— Pis, la chouette, qu'est-ce qu'elle mange?

— Oh ben là, rien, on va partager avec elle.

— Mais pour **UN SOU** de plus, là, elle a tout un menu à elle, avec la glace aux Smarties.

— Aux Smarties? Bon, mettez ça, alors.

— Et pour boire?

— Deux petits verres de bière!

— Pour le même prix, aujourd'hui, vous avez un pichet, c'est le spécial!

— Va pour le pichet!

— Parfait! Je reviens…

Silence coupable.

– Et voilà. Encore raté. On est des incapables. Incapables de dire non à l'opulence américaine !

– Y a même plus de place sur la table pour poser ma
fourchette.

– Mets-la sur tes genoux et mange !

LA GARDERIE JUIVE

– Alors, son nom, c'est Sacha, c'est ça ?

– Eh bien, c'est-à-dire que… non. En fait, elle s'appelle Sencha. Et la coiffure de son père, ici présent, ce ne sont pas tout à fait des rouflaquettes. Ce sont des *dreadlocks*. Autant être honnête avec vous : **on n'est pas exactement juifs**.

– Ah, mais ça ne pose aucun problème. La garderie accueille tous les enfants. Après, c'est à vous de choisir, Sencha apprendra des chansons en hébreu et elle mangera kasher. Elle ne fêtera pas Noël mais Hanoukka, pas Halloween mais Sukkot. Et tous les vendredis après-midi, elle partagera la challah, elle chantera et dansera avec le rabbin pour célébrer Shabbat. Les parents sont les bienvenus ! *Dreadlocks* y compris.

– Et la fête des Mères ? On a quand même un collier de nouilles pour la fête des Mères ?

– De nouilles kasher.

– J'ai déjà hâte.

37

CROUNCH

Devant, un bruit de « **crounch** ».

– On est les seuls, je te dis.

– Tu crois ?

Derrière, un bruit de « **crounch** ».

– On détonne complètement !

– C'est vrai qu'on est les seuls. C'est fou, ça…

À droite, un bruit de « **crounch** ».

– Comment est-ce qu'on n'y a pas pensé plus tôt ? La boulette culturelle ! Ben si on ne se fait pas remarquer après ça…

– Mais eux, ils font ça d'instinct. Et puis, personne ne nous avait mis au courant.

À gauche, un bruit de « **crounch** ».

– Bon, ce n'est plus possible. Bouge pas, je vais en chercher. On ne peut pas rester les deux seuls zinzins dans cette salle de cinéma de 400 places à ne pas croquer de **pop-corn**… Nature ou au beurre ?

LES POUBELLES

— Oh, mon Dieu! il y a eu un tsunami dans la rue?

— Les éboueurs sont passés.

— Mais regarde ça! Les bacs verts et les poubelles vides éparpillés sens dessus dessous sur le trottoir! Ce n'est plus une poussette qu'il nous faut, c'est un Bigfoot! Ils font du lancer de poubelles, ces éboueurs, ou quoi?

— Mais qu'est-ce que tu crois? Le Canada est l'un des plus gros producteurs de déchets au monde: ça se mérite! Ici, ce ne sont pas les papiers qu'on jette par terre. Mais directement les poubelles.

39

LES FACTEURS

– **Ah!** Mourir de chaud au Québec, ce n'était pas dans le contrat, ça! Regarde, **34 °C**!

– Avec ou sans?

– Avec ou sans quoi?

– Le facteur humidex!

– Oh non, tu t'y mets, toi aussi? Déjà qu'on passe notre temps à calculer les vrais prix en ajoutant le service et les taxes, maintenant on doit aussi corriger les températures! Pourquoi faire simple?

– Parce qu'à **34 °C**, tu as honte de dégouliner…
Mais quand tu sais que ton corps ressent **42 °C**, tu sues déculpabilisé!

– C'est ça! L'hiver, il y a le facteur vent. Et l'été, le coefficient humidex. L'hiver, c'est à cause de l'Arctique. L'été, à cause du Mexique. Ces facteurs, ce sont comme des médailles. Pour te dire que tu as encore plus froid que froid ou encore plus chaud que chaud. Que c'est toujours pire que ce que tu crois: le plaisir dans la douleur!

– Oui, enfin…

– Et tous ces mecs grelottant sous leurs polaires en juillet parce que la climatisation est trop forte, ils calculent comment? Vent ou humidex?

40

Saison 1

L'ÉPICERIE

Quand j'étais petite, il y avait ce livre, usé à force d'avoir été lu.

Je l'adorais.

Il racontait la journée de quatre enfants aux quatre coins du monde : à Dakar, à Paris, aux États-Unis et le dernier en Chine, je crois.

Le garçon américain emportait indéniablement toute mon admiration.

Pour la simple et bonne raison qu'il allait faire ses courses le soir après manger.

À l'heure où tous les autres enfants du monde, ringards, étaient sommés de se brosser les dents, les pieds et d'aller se coucher, lui, il zippait son anorak et fendait la nuit noire jusqu'à l'oasis lumineuse et clignotante du supermarché.

Car ô miracle, ô magie, dans ce pays incroyable, les supermarchés étaient ouverts 24 heures sur 24. («Mais la dame de la caisse, elle ne dort jamais, maman ?»)

J'ai vite réalisé que le Canada faisait partie de ces pays bénis.

Alors, un dimanche, vers 22 heures, quand on m'a nonchalamment demandé : «Quand est-ce qu'on va faire les courses ?», j'ai dit «banco».

– Tout de suite !

– Tout de suite, là, maintenant ?

Franchement, on sait bien que chez tout le monde, le dimanche soir, ce n'est… pas toujours la fête.

41

Alors, naze pour naze, autant aller «faire l'épicerie».
Comme le garçon américain de mes rêves.

Tout est calme dans les rayons. On n'entend que le néon qui clignote et les congélateurs qui turbinent.
Pas âme qui vive. On pourrait presque glisser en chaussettes à travers les rayons déserts.
Si on enlevait ses chaussures.

La nuit, au supermarché, on peut rapporter toutes ses bouteilles et ses cannettes à la consigne sans avoir peur de passer pour l'alcoolique de service.
La nuit, on a tout à fait le temps de détailler les nombreux ingrédients des différents *pop-tarts* pour choisir lesquels sont assurément les plus dégueulasses.
La nuit, la caissière, qui a bien plus le temps d'être physionomiste, ne vous demande même pas votre carte Air Miles, parce que vous n'avez décidément pas une tête à avoir une carte Air Miles. Et que vous n'avez toujours pas compris ce que c'était.

Dans la nuit, en sortant, on n'entend plus que le couinement de notre sac à roulettes.
Pourtant, au début, j'avais été subjuguée par les sacs en papiers. **Aaaaah**, des sacs en papier! J'allais enfin quitter le supermarché en ayant l'air aussi cool qu'à la télé! Mais comme ils n'ont pas d'anses et nous pas de voiture, on ne peut pas les porter.
Vive les cabas de mémé!

42

L'EFFLUVE

– Ça pue dans la cuisine.

– **Hum…** Tu trouves? Ouais, peut-être. J'sais pas.
La poubelle?

Inspection de poubelle. Lavage d'évier. Vérification de
machine à laver. Balayage du frigo.

Rien.

– Ça pue toujours.

– …

– Ça m'énerve quand ça pue.

– (Soupir.) T'as regardé les placards? Tiens, ben il y a
deux bouteilles de lait rangées là. C'est du lait frais!
Il n'y a que du lait frais ici… Il faut les mettre au frigo.
Tu m'étonnes que ça pue! Je les descends à la poubelle.

– (Sourire gêné) Ben voilà! Ça ne pue plus.

Mais y a plus de lait.

43

LA MOUSTIQUAIRE

Sur toutes les fenêtres de la maison, il y a des moustiquaires.

Et sur toutes les maisons, c'est pareil.

C'est drôle, on ne peut jamais passer son bras dehors. Ni
sentir un vrai courant d'air.

On ne perçoit l'extérieur qu'à travers ce petit quadrillage
noir.

Comme du papier millimétré.

Des yeux de mouche.

Je souris quand je pense que, cet hiver, je regarderai la
neige à travers une moustiquaire.

Évidemment, certaines familles bien organisées décident
d'enlever cet attirail dès que les moustiques cessent leur
carnaval.

Mais moi, je les garderai.

Ça peut servir de kaléidoscope à disséquer les flocons.

Même si je suis consciente du grave risque de dépen-
dance auquel je m'expose.

Une fois l'habitude prise, difficile de se passer de ce filtre
pour regarder le monde.

C'est pour cela que presque tous les bus montréalais ont
de fausses moustiquaires agglutinées aux vitres.

Si, si, c'est sûr, c'est pour cela…

LE SOLEIL À LA CARTE

Ici, on ne dégaine pas sa carte vitale, comme en France. Ici, la carte d'assurance maladie s'appelle la carte soleil. Dans un pays croulant sous la neige six mois par an, la provocation est peu discrète.

Cette carte, on ne l'a toujours pas. Je n'incriminerai pas l'administration française. Ce serait déplacé en banalités. Je passe plutôt mon temps à trembler. De peur. Et de manque de soleil.

Car des sources très proches de l'enquête m'ont raconté ce qui arrivait aux malheureux sans-carte.

C'était après. Après que j'aie compris, grâce aux multiples rires essuyés sur le bout de mon nez, qu'obtenir une place pour un match des Canadiens serait plus facile que de consulter un médecin généraliste.

Non, j'avoue, avant de venir, je n'avais jamais loué *La Grande séduction* au vidéoclub.

Je pensais que quand on était malade, on allait voir son docteur. Et qu'on lisait *Paris Match* dans la salle d'attente, mais jamais après la page 12, parce que monsieur le Docteur arrivait toujours avant.

J'étais loin d'imaginer qu'ici, on commençait par allonger 600 dollars à la secrétaire, qu'on attendait un temps suffisant pour mémoriser les 50 derniers numéros de *Paris Match* et qu'on finissait, longtemps après, par entrer dans le cabinet d'un médecin au comportement subitement venu d'une autre planète.

Il vous prend la température ? C'est 20 dollars de plus. Il dégaine son stéthoscope ? Vingt dollars encore. Et s'il vous reluque la gorge, sortez la liasse.

45

Pour qu'il finisse par conclure, encourageant, par un :
« Mais de toute façon, je ne peux pas vous prescrire de
médicaments, vous n'avez pas la carte soleil. »

…

En nous languissant de voir briller sur nous l'astre du
jour, je nous ai fait graver des médailles affichant notre
nouvelle devise : « Ça ne va pas ? Attends que ça passe. »
Pour le moment, ça marche.

LE CONFINEMENT

— Alors, Pablo, cette première journée de 4e?

— De secondaire 3, tu veux dire?

— Tu lis dans mes pensées... Tu as déjà appris des trucs rigolos?

— J'ai appris comment barricader la porte de ma classe avec une armoire, comment me cacher sous les tables en retenant ma respiration et comment accrocher à la fenêtre un papier détaillant le nombre d'élèves à sauver dans ma classe.

— Au cas où un prof s'énerve?

— Au cas où un tueur fou s'invite sans avoir fait ses devoirs...

— Ah. Plutôt détendant, comme ambiance. Et sinon, euh, tu te sens, euh, en confiance dans cette nouvelle école?

— Hyper zen. Mais tu vois, en y réfléchissant, je pense qu'on devrait dormir avec des battes de base-ball sous nos lits.

L'ÂGE

– C'est nul, je te dis.

– C'est clair, Leslie, c'est nul.

– Je dois être la seule de toute cette université à ne pas encore avoir 18 ans ! Tu te rends compte, je ne peux aller dans aucun bar ni à aucune fête de campus !

– C'est sûr, la fac sans les fêtes à la fac, à quoi bon ?

– **C'est horrible.**

– Allez, console-toi, c'est la même chose pour moi…

– Quoi ?

– Eh bien, figure-toi qu'hier, le dépanneur a refusé de me vendre un Tac-O-Tac[1] parce que je n'avais pas de carte d'identité à lui présenter. Moi ! Une mère de presque famille !

– …

– Les problèmes croissent avec l'âge !

– Je vois ça…

---

1. Sous-titre : gratteux.

LE BALLON

Premier match de football. Américain évidemment.

Sinon, j'ai compris qu'on dit soccer.

Et que le soccer, ici, est un sport de filles.

Si je raconte cela à mes copains rennais, ça va mal finir.

Rangez les galettes saucisses, messieurs. On se rhabille.

Le soccer est un sport de minettes.

Quand on parle de Zidane à un ado québécois de l'âge de Pablo, il lève les sourcils d'un air interrogateur et pas vraiment intéressé : « Qui ça ? »

La claque ! Zi-da-ne !

Sport de filles, donc.

C'est vrai qu'une alouette, c'est particulièrement viril.

Et que, soit dit en passant, les premiers à envahir le gazon de ces matchs de football d'un autre calibre sont plutôt des premières.

49

Les « pom-pom girls ». Celles qui ont miraculeusement toutes les cheveux lisses. Sur lesquels le vent n'a aucune prise.

Oui, oui, j'ai compris que si on disait des « pom-pom girls », on risquait de prendre un pompon dans la tête. Ce sont des *cheerleaders*. « Pom-pom girls », c'est trop péjoratif.

Bizarrement, dès qu'on entend prononcer le mot « *cheerleading* », il est systématiquement assorti de cette phrase : « Mais vous savez, le *cheerleading*, c'est une discipline sportive à part entière, avec une fédération et des athlètes de haut niveau, tout ce qu'il y a de plus sérieux. » Comme si ça ne se voyait pas.

Cent pour cent virils, enfin, ces gros nounours qui
bombardent les tribunes de paquets de cacahuètes.
Oui, ces mascottes sans qui le football américain ne serait
rien. Pas un truc de filles, ça?

Enfin, je dis ça, moi, mais je ne dis rien.
Après tout, j'en suis une, de fille.

LA FOI

— Tiens, regarde, Audrey, encore un!

— Quoi?

— Cette dame indienne, là, elle vient de me donner un prospectus sur Dieu. C'est déjà le troisième que je reçois.

— C'est une ancienne tradition québécoise, ça, l'évangélisation comme moyen d'intégration.

— Tu es la seule que ça fait rire, ici...

— À voir comment les Québécois ont transformé n'importe quel objet religieux d'église en juron formidable, ça sent plutôt la brebis égarée, dans le coin...

— Ouais, c'est vrai, on ne voit jamais de mariages ou d'enterrements à la porte des églises...

— Alors l'Église doit innover, les églises deviennent des apparts et les apparts deviennent des églises. Ici, les églises, on les trouve au premier étage.

— Et cette église-là, avec son gigantesque néon fluorescent et clignotant, «Les pécheurs iront en enfer!» **Pffff!** tu parles d'une innovation!

— Bah non, ça, ça doit être le siège social de Greenpeace...

LE CHALET

Combien de Montréalais n'ont jamais passé une fin de semaine au «chalet»?

Le leur, celui de leurs parents, de leur chum ou de leur facteur.

Tant de chalets, ça troublait mon esprit. Je m'imaginais déjà, à peine sortie de l'île de Montréal, découvrir les sous-bois garnis de maisons en bâtonnets de bois verni empilés sous des toits en plastique vert, exactement comme celles que j'assemblais quand j'avais 4 ans.

Je craignais de ne plus savoir que faire des lacs bordés de chalets en rondins arborant, sur le perron, une Heidi me saluant de la main.

Oui. Je sais très bien qu'Heidi n'est pas un prénom très québécois.

Mais j'ai vite percé les Montréalais à jour, dans leur surenchère: un «chalet», ça veut aussi dire un appartement, une caravane, une cabane ou une villa. Une habitation secondaire, quoi.

Donc, si le chalet peut bien sûr être un chalet, il peut aussi ne pas en être un. Je crois que c'est clair.

J'avais veillé à ce que notre chalet, loué pour la fin de semaine, en soit vraiment un.

Pour vivre le fantasme de la cabane au Canada. Et des «grands espaces». Parce que chaque fois qu'ils me téléphonent, mes copains français me demandent où j'en suis de ce côté-là.

Notre chalet en bois est au milieu d'une forêt d'épinettes.
Autour, il y a des lacs, des forêts d'épinettes, des lacs, des
forêts d'épinettes, des lacs, des forêts d'épinettes, des
forêts d'épinettes et des lacs.
Des grands espaces. De forêts d'épinettes et de lacs.

Quand un Nord-Américain me parlait de son admiration
pour l'Europe, où les cambrousses ne sont pas désertes,
mais parsemées de l'incroyable vitalité des villages,
j'écoutais d'un air distrait.
Car le café des sports, Coif'mod et la boulangerie-qui-ne-
vend-que-du-pain-de-deux-livres ne me semblaient pas
représenter un apport considérable pour la vie de nos
campagnes. À part pour celle de ma mémé.
Car ces châteaux, églises, chapelles et autres reliques
de pierres qui les ornent semblaient tellement indébou-
lonnables du paysage que je n'imaginais pas à quoi il
pourrait ressembler sans.
C'est vrai ça, à quoi?
À des grandes étendues, j'imagine.
De lacs et de forêts d'épinettes.

53

LA BONNE CONDUITE

Ici, je ne conduis pas.

Le fait qu'on n'ait pas de voiture n'y est pas complètement étranger.

Alors, disons que je ne conduis même pas les véhicules de location.

Trop facilement impressionnable que j'étais, au départ, par des routes à plus de voies que mes mains ne comptent de doigts, par les échangeurs dont on ne voit pas la fin, par les 4x4 qui auraient pu me rouler dessus sans même s'en rendre compte.

Je n'étais pas sûre de moi sur des routes où tout le monde semblait si sûr de lui.

Je craignais que l'on klaxonne mes hésitations, que l'on insulte mon clignotant trop tardif.

Je redoutais de louper une sortie sans pouvoir faire demi-tour, de manquer la fameuse «dernière station-service avant»… Avant l'enfer?

Alors j'ai pris le siège du mort.

Heureuse de n'avoir qu'à scruter le paysage.

La dixième voiture qu'on croise sera la tienne plus tard, Sencha.

La conductrice de la cinquième voiture qu'on dépasse sera ta femme, Pablo.

Et petit à petit, contente de zieuter les Québécois au volant.

Plus je regarde, plus j'aime ça.

Ils ne crient pas, ni ne gesticulent, semblent ignorer l'existence de la queue de poisson.

Ils ne roulent pas sur les doigts de pieds des piétons trop lents à traverser, ils ne doublent pas dans le sens contraire des aiguilles d'une montre, ils sont détendus du klaxon, zen de l'appel de phares.

Ils s'insultent moins que des Français de 3 ans en cours de trottinette.

Quand quelque chose fume, chez eux, c'est leur moteur, pas leurs oreilles.

Qu'importe qu'ils soient bons ou mauvais conducteurs, en tout cas, ils sont à sec d'agressivité.

Au feu vert comme dans la vie, les Québécois voient instinctivement l'autre plutôt d'un bon œil.

Sans être sur la défensive ni prêts à déclarer la guerre dans la seconde.

Tranquilles et respectueux.

Et non, je ne crois pas que ce soit à cause de la boîte automatique.

55

L'ANATOMIE

— C'est très simple, en fait. Élodie m'a tout expliqué. Si c'est une femelle, tu fais le mort, car elle, elle ne cherche qu'à protéger ses petits. Et si c'est un mâle, alors là, tu essaies de l'impressionner. Et surtout, tu ne t'allonges pas à terre. Sinon, il vient te donner des coups de pattes, comme un chat. Tu sais, l'homme et son instinct joueur…

— Et peux-tu me dire, chère Audrey, comment on reconnaît un ours mâle d'un ours femelle ?

— La femelle va du côté des toilettes où l'ours a un nœud dans les cheveux.

— **Ha, ha !** Quelque chose me fait penser que quand tu le sais, c'est déjà trop tard.

— Pour les Canadiens, c'est intuitif.

— Et pour nous ?

— Pour nous, c'est con.

LE PETIT-DÉJEUNER

– Vous servez encore à déjeuner ?
– Oui, bien sûr.

À 7 heures. À 11 heures. À 13 h 30. Et même à
16 heures.
C'est ça, le Canada : **le pays où l'on vous sert des
petits-déjeuners toute la journée.**
All Day Breakfast!
Une assiette en forme de promesse, où tout est encore
possible.
Ici, à n'importe quel moment du jour, on peut tout effacer
et tout recommencer.
En s'asseyant devant un bon petit-déjeuner.
Un détail, vous pensez ?
Un puissant rouage de la dynamique nord-américaine,
oui !

57

Exactement !
Quand je dis que l'Amérique est toujours tournée vers
l'avenir, vers le soleil qui pointe…
Tellement qu'elle passe sa journée à la recommencer.
Il est toujours l'heure de se lever vers quelque chose de
nouveau.
Et de bouffer.
Car évidemment, Leslie dirait qu'envisager l'avenir cinq
fois par jour avec deux tranches de bacon et trois œufs
dans la bouche, ça pousse surtout à fâcher sa balance.
Et que quand on n'a pas de passé, faut bien trouver
quelque chose vers quoi se tourner.

Ceci dit, si un Canadien achète et lit un journal différent à chacun de ses petits-déjeuners, «pandémisons» cette bonne habitude, et la presse sera enfin sauvée...

LE PARRAIN

— **Wow!** L'article dit que le *consigliere* du clan Rizutto a disparu. C'est sûrement un coup des gangs de rue…

— Des quoi?

— **Des gangs de rue!** Ils auraient enlevé le *consigliere* par représailles. Car les autres ont commandité l'attentat raté du magasin de vêtements, qui était finalement une expédition punitive à cause de l'assassinat du fils R, probablement organisé par un gang de rue, qui visait aussi un fameux *gunman* de la *famiglia*, celui qui était entré en plein jour dans un restaurant du centre-ville pour tirer sous la ceinture d'un *dealer* de drogue iranien qui avait menacé les intérêts du clan, alors que le grand-père R était déjà derrière les barreaux. Rhoo! J'adore lire le journal. Ça change des comptes-rendus de la presse régionale française sur les foires au kouign-amann, non? Qu'est-ce que t'en dis?

— J'en dis que si le mascarpone n'était pas aussi hors de prix, on aurait l'impression de faire une sabbatique en Sicile.

59

SAISON 2 :
AUTOMNE

DANS LES ÉPISODES PRÉCÉDENTS...

La famille n'est plus en vacances.

Terminés la rigolade, le Québec du soleil et des festivals.

La fin de la belle saison se profile au générique.

La famille prend ses marques.

Et presque sans dommages.

Famille-saison des moustiques = 1-0.

La famille s'installe, désormais, la famille est d'ici.

Audrey se demande comment cela va être, une fois les lumières rallumées, de l'autre côté du miroir, en coulisse et sans les paillettes.

Pablo hausse un sourcil.

Leslie trouve cela suspect.

Que même passé l'été, tous les Québécois restent tous gentils, polis et hyper serviables partout.

Selon elle, cela cache quelque chose.

Un complot pour devenir les maîtres du monde.

Sencha sait dire bonjour en hébreu. Mais pas encore au revoir.

Cela tombe bien puisque la famille ne part pas. Elle reste.

Même si Pierre et Audrey apprennent que cette année, l'été des Indiens n'est pas inclus dans le *package*.

Ils demandent un remboursement. On leur propose en échange un calendrier du rougissement des feuilles d'érables. Ils sont flattés.

Sur les étals, les McIntosh poussent les bleuets.

Les piscines ferment, mais l'heure n'est pas encore à la patinoire.

Alors, que va-t-il se passer?

LA LIVRAISON

– Regarde! Encore eux! **Pfffffffff!** Ha, ha, ha! Excellent!

– Mais arrête, Audrey, ils vont croire que tu ris d'eux!

– Mais je RIS d'eux! Comment ne pas rire quand Purolator vient me livrer un colis?

– Personnellement, j'ai longtemps cru que c'était une société d'extermination de rats.

– Eh bien moi, chaque fois que je croise l'un de leurs bolides, je m'attends à voir en sortir un Terminator qui pue et qui rote. Non mais, dis-moi, qui oserait envoyer ses roses de la Saint-Valentin par Purolator?

LA STATION-SERVICE

Plein d'essence, quelque part entre Québec et Trois-Rivières.

– Tu as vu, Pablo, même dans une station d'essence, on voit qu'on est au Canada. Devant toi, un Tim Hortons, le poste de secours local. À droite, une dame qui fait les poubelles pour récupérer les canettes consignées. Juste à côté, 10 *bikers* en Harley. Chacun a sa blonde en sac à dos. Et sur ta gauche, des militaires en tenue de camouflage qui boivent des cocas.

– Ouais, et derrière, y a un gars avec un orignal mort à l'arrière de son pick-up.

– Ha, ha!...

– Nan mais, je ne rigole pas, regarde!

– **Aaaaaah! Au secours!** Mais c'est gigantesque! On dirait un bison... Ce type parade avec un cadavre d'orignal encore tiède juste devant Tim Hortons! Comme ça, tranquille... Je rêve!

– Mais qu'est-ce qui t'étonne? Que les chasseurs aiment les beignes?

LE HAMBURGER

Pablo a posé cette question scientifique :
«Les Big Mac d'ici ont-ils le même goût que les Big Mac de chez nous ?»

Ah.

L'évidence s'impose : il nous fallut rassembler des fonds pour oser un échantillonnage sur le terrain. Environ six dollars nous suffisent.
Pour la première fois depuis notre américanisation, nous pénétrons dans l'antre rouge et jaune.
À des fins savantes, évidemment.
Mais toujours sans comprendre, pourtant, pourquoi il n'y a pas de «a» dans *Mc*Donald, alors qu'il apparaît subitement dans Big *Mac*.

67

VERDICT :

Pablo : «Pas pareil. Y a pas de tomate. Les Big Mac, ici, ils font plus *cheap*.»
Leslie : «Pas de tomate ? Un peu plus pauvres, les Big Mac ? Je rigole, je rigole ! Et je rigole encore ! Ce qu'on appelle frites et cocas «maxi», à Paris, conviendrait à peine pour le menu nourrisson, ici. Les Français ? Ils ne peuvent pas imaginer la taille du «menu Double Big Mac Maxi», même pas dans leurs rêves. Tu m'étonnes qu'après ça, ils ne soient plus à une tomate près !»
Les départager ? Autant se décider entre sauce barbecue et sauce au bleu sans rien regretter.

Surtout qu'ils ont sûrement tous deux raison.

Sans goûter au Gros Mac, mais juste en croquant dans l'ambiance, j'ai eu la même sensation : à la fois trop riche et trop *cheap*.

Qui eut cru que Ronald se plairait à cultiver le paradoxe ? Ici, l'atmosphère de la chaîne de burgers est encore bien plus glauque qu'en France.

J'ai toujours vu des McDo brasser un public assez varié : des cravatés, des étudiants, des familles, des pressés croquant dans le même gras.

Alors qu'ici, Ronald fait un peu clodo... Genre clown qui aurait mal vieilli.

Pourtant... le premier McDo québécois a ouvert ses portes la même année que son homologue français, au début des années 1970...

Alors ?

Alors, peut-être que les Montréalais sont juste normalement constitués. Quand ils veulent manger un hamburger, ils cherchent un bon hamburger. Et à Montréal, ils en trouvent. Bien sûr, ils sont plus chers. McDo devient alors le plan B des moissonnés.

Tandis qu'en France, globalement, on ne mange pas : (option 1) un bon hamburger ou (option 2) un hamburger qui craint. On mange un hamburger McDo, puisqu'il n'y a que ça.

Comme on arroserait, ici, son camembert en boîte d'un verre de Cellier des Dauphins. Budget : cinq menus Big Mac. Soupir.

LE BRUIT ET L'ODEUR

On ouvre les narines.

On sent une odeur de *fast-food*. Inutile de le cacher.

Mais il n'y a pas que ça…

Il y a aussi ce parfum de «vert». Les feuilles, les arbres, les pelouses, les parcs. Bizarrement, on sent rarement les relents d'échappement, comme dans d'autres grandes villes. Sauf à la Saint-Smog.

On reconnaît un vrai Québécois à cette exclamation : «Ça sent la mouffette!»

Jusqu'à ce que j'en sente une, je **rêêêêêêvais** d'en sentir une.

Ça fait partie de mes pires expériences québécoises.

(Je sais, je sais : c'est une année facile.)

Plus jamais je n'accorderai ma confiance à Bambi ou à ses stupides amis…

On ne sent pas les escaliers cirés, ni le pain chaud.

Mais dans les supermarchés, ça fleure les muffins.

Et dans les centres d'achats, on hume la cannelle.

Dans le métro, ça ne sent rien. C'est assez perturbant.

Et sur les trottoirs non plus. Pas un fumet de crotte de chien. C'en est déroutant.

Ah oui, à 17 heures, les jours sans neige, ça cocotte les saucisses. Comme si les barbecues avaient trépigné toute la journée : à cinq heures pile, on lâche les chiens. La braise explose d'elle-même, la viande est aimantée vers les grilles et les arômes de vacances et de camping éclatent dans toute la ville.

Devant notre goûter de fruits découpés et de compote sans sucre ajouté, on pleure.

Fermons les yeux. Qu'est-ce qu'on entend, maintenant ? La circulation, ça c'est sûr.
Les sirènes des camions de pompiers et des ambulances, comme dans les séries télé.
Les **bip bip** de fermeture de voiture. Les **bip bip** d'ouverture de voiture, les **bip bip** de « j'ai perdu ma voiture ».
Des phrases en anglais qui se finissent en français. Et inversement.
Plein de « ça m'fait plaisir » et de « ce s'ra pas long ».
Les pubs pour Jean-Coutu, qu'on chante encore dans sa tête passé minuit.
Et l'été, il y a ce bruit bizarre. Tout le monde dit que c'est comme des câbles électriques sous tension. Les criquets qui les imitent sont effectivement très doués, il faut le reconnaître.

Alors ? On s'y croirait…

LE CENTRE D'ACHATS

— On fait quoi ce week-end? On pourrait visiter un centre d'achats!

— En voilà une idée! Qu'elle est bonne… Hum, tu veux dire, considérer ça comme une attraction touristique?

— **C'EST** une attraction touristique. Regarde, le West Edmonton Mall fait près de quatre millions de pieds carrés!

— De pieds carrés? C'est grand comment, ça?

— Ben, je ne sais pas, moi, tu mets tes pieds à angle droit, tu imagines le carré ainsi obtenu et tu répètes l'opération quatre millions de fois.

— Oui. L'avantage, c'est qu'on n'a plus à chercher **D'AUTRES** activités pour le week-end.

— Quatre millions de pieds carrés, soit 120 terrains de foot!

— Un centre avec 120 terrains de foot à l'intérieur? Mais pour quoi faire?

— **Non!** Grand comme 120 terrains de foot.

— **Hum**, je vois. Et on fait du shopping grâce à la paie des footballeurs, c'est ça?

— **Rabat-joie!**

LE PIQUE-NIQUE

– Où avez-vous pique-niqué, ce midi, avec Sencha?

– Pablo, tu vois, je préférerais ne pas aborder le sujet.

– Bah pourquoi?

– Quand on est arrivées au bureau de Pierre, pour lui faire une surprise, il était parti. Pas démontées, on a décidé d'aller pique-niquer dehors. On est sorties, vlan, l'averse. Le moindre banc était une vraie mare et nous, de véritables serpillières. C'est là que j'ai eu «l'idée».

– L'idée?

– La foire alimentaire du centre commercial Eaton. Un sous-sol sans fenêtre avec 400 personnes qui bouffent une… chose qu'ils viennent d'acheter dans l'un des 20 *fast-food* qui entourent la pièce. Il y avait tellement de bruit qu'on s'est tues.

– Alors, vous avez commandé des nachos?

– Euh… non. On a sorti notre Tupperware de salade de légumes et nos sandwichs emballés dans de l'aluminium. Et on a mangé là. Quand on a brandi nos raisins, j'ai vu que les gens commençaient à nous regarder de travers.

– Pédante!

L'ACCUEIL

— Tu crois qu'on a des bonnes têtes ?

— Tu voudrais adapter le livre au cinéma ?

— Non… franchement ! Quand tu y penses, ce couple rencontré à la table de café qui nous a invités à boire un verre chez eux, ceux avec qui on a discuté cinq minutes et chez qui on est allés souper, et cette famille dont on devait simplement louer la maison et qui sont devenus des amis…

— L'amitié, c'est comme partout, ça prend du temps.

— Oui, mais leur contact facile et généreux avec des inconnus, c'est du bonheur, quand même, non ?

— C'est sûr. Surtout quand tu vois nos têtes…

LA CAPUCHE

– Non!

– Allez, Audrey… Franchement, c'est ça qui crée tout le style… Et puis, ils disent que c'est le modèle que portent les chercheurs scientifiques américains en Antarctique…

– Mais toi, tu es juste «chercheur».

– Eh, madame trouble-fête, réalises-tu qu'avec cette veste, tu peux passer une journée à pêcher sur un lac gelé à 40 °C sous zéro sans claquer une seule paire de dents?

– Et pour aller pêcher du saumon dans le rayon des surgelés d'IGA, tu crois qu'elle ira? Écoute, Pierre, tu es majeur: fais ce que tu veux. Mais si tu choisis ce modèle-là, ne le porte jamais devant moi.

– **Terriblement pratique!** Tu ne comprends pas que la fourrure en coyote autour de la capuche, c'est fait exprès pour garder la chaleur autour de ton visage? Faut faire confiance aux Inuits, un peu…

– **J'ai dit non!**

– C'est une parka, ce n'est pas une écharpe en bébé phoque, non plus…

– D'accord, ici, ils détestent Brigitte Bardot. Je ne les blâme pas. Est-ce pour autant qu'on va se mettre à porter de la fourrure véritable? Voyons, il doit exister un modèle sans…

– **Ah, certainement… Comme il doit exister des queues de Castor *light*…**

– …

– Qu'est-ce que tu fais?

— Je t'imagine dans la forêt cet hiver, nez à nez avec un coyote, attendri par ce qu'il reste de sa mère autour de ton capuchon.

— Excusez-moi, monsieur, vous avez des modèles sans fourrure ? Allergie au coyote…

L'HALLOWEEN

– Pourquoi on irait à Westmount ? Notre quartier, c'est Côte-des-Neiges…

– Mais réfléchis deux secondes, aller quêter les bonbons dans le quartier anglophone, c'est offrir à nos enfants une vraie expérience culturelle, c'est rechercher la tradition, l'authenticité. C'est s'émouvoir de leur regard émerveillé sur les plus belles décorations de la ville !

– Vas-y, accouche…

– Bon, OK… Quartier de riches égale bonbons de riches. Tu vas découvrir des sucettes ultrasupersoniques dont tu ne soupçonnais même pas l'existence.

– C'est ça, l'esprit d'Halloween ?

– Oh oui, tu as raison. Restons plutôt à la maison pour creuser cette citrouille qui moisit sur notre perron depuis trois semaines en regardant un film d'horreur des années 1920. En québécois. Et on attendra d'ouvrir la porte aux deux enfants non philippins qui passeront vers 18 h 55.

– **Les enfaaaants !** Fantômes, prêts ? Vampires, prêts ? On part à Westmount !

LE 5 À 7 — AVANT

— Qu'est-ce qu'on va faire à manger pour tout ce monde-là?

— Euh, un buffet… Je ne sais pas moi, des tartes salées ou du fromage, des salades, des cakes. C'est facile, on a le choix!

— Oui, mais pour Jacob et Elisheba, il faut que ce soit kasher.

— Ah oui.

— Et tu as pensé à Fatima? Il faut aussi du hallal. Et puis, il y a Jeanne, qui est végétarienne. Et Bruno, qui ne mange que cru. Elise est allergique au gluten et Geneviève suit un régime yoga, sans arômes artificiels ni conservateurs.

— Ah ben tout de suite, c'est moins facile… À Rennes, on aurait fait un buffet de galettes-saucisses pour tout le monde et personne ne se poserait de questions!

— La diversité a un prix.

— Attends… je sais! Un buffet de sirop d'érable!

— **Aaaaaaaah!** C'est pour ça!

77

LE 5 À 7 – APRÈS

– Il est quelle heure?

– Vingt heures.

– Vingt heures! Et tout le monde est déjà parti! Non, mais c'est terrible. Tu crois que les gens s'ennuyaient?

– Quand on invite pour un 5 à 7, c'est normal qu'à 8, il n'y ait plus personne.

– Oui mais en France, quand on invite pour un apéritif, ça dure toute la nuit. Il n'y aurait que les Français qui soient hypocrites?

– Pas hypocrites. Mais épris d'euphémisme.

– **Mmmm...**

– Ici, ils sont polis et respectueux: 5 à 7, c'est 5 à 7. **C'est sympa, non?**

– Et puis, ils ont tous apporté quelque chose à manger. Tu leur avais parlé de ma cuisine ou quoi?

– C'est la tradition québécoise, le potluck. Chaque invité apporte un petit quelque chose à la fortune du pot. C'est super sympa, non?

– Puis, t'aurais pu me dire pour les chaussettes.

– Te dire quoi?

– Que les fêtes québécoises, ça se passe en chaussettes! J'aurais essayé d'en mettre deux pareilles.

– Toi, tu n'étais pas obligée d'enlever tes chaussures! Tu es chez toi. Eux, ils les enlèvent pour ne pas que ton tapis se souvienne trop de leurs bottes de neige. C'est vraiment sympa, non?

– Sympa, des fêtes en chaussettes qui se finissent à huit heures? **Wow!** Toute cette sympathie, je ne sais pas si je vais être à la hauteur, moi...

L'INTOXICATION

En France, l'amiante, c'est un peu comme l'hépatite B, rouler bourré ou manger trop gras et trop sucré :
C'EST MAL.
C'EST MAL, tout le monde le sait.
C'EST MAL et le gouvernement et les médias et la société nous le rappellent toutes les fois où l'on oublierait de ne pas oublier.
Accessoirement, l'amiante, on en meurt à peu près partout sur la planète.
Sauf qu'ici, peut-être à cause du décalage horaire, l'amiante, c'est cool.
Les mines d'amiante, c'est l'fun.
On en produit, on en fait le commerce, on est amiante-décomplexé.
On ne donne pas trop de chocolat aux enfants, parce que ça les excite, mais va pour un petit peu d'amiante.
Évidemment, j'exagère.
Une centaine de scientifiques, d'experts québécois et internationaux ont adressé missive sur missive à Jean Charest, en lui demandant de stopper immédiatement l'extraction et l'exportation d'amiante.
Résultat : Jean Charest a viré son facteur.
Et a continué de vendre à l'Inde plus de 95 % de sa production de chrysotile. Parallèlement, il dépense ce gain à désamianter écoles et hôpitaux québécois.
Cela irrite mes copains canadiens.
Bizarrement, Jean Charest en fait peu de cas.
Il dit que les Indiens n'ont qu'à mettre des gants.
Ha, ha.

Ailleurs au Canada, on prétend que le Québec tient à
ses mines d'amiante comme à un symbole de son
indépendance.
Mais moi, j'ai compris le vrai problème de Jean Charest.
S'il arrête la production d'amiante, que fera-t-il de ce bled
d'Estrie qu'on a quand même réussi à nommer Asbestos ?

LA PREMIÈRE NEIGE

J'ai un sourire aussi béat que niais.

À 16 heures, quelqu'un a penché vers nous l'arrosoir à flocons.

Il y en a partout.

Des petits. Mais déjà plus gros que tous les spécimens croisés jusque-là à Rennes.

Dans la rue, je suis partagée entre l'envie de laisser exploser ma joie et une modération raisonnable, encouragée par le regard blasé de mes voisins de trottoir : « Voyons, Audrey, c'est du sérieux. Tu vas en avoir tout l'hiver. À la fin, tu es même censée **DÉTESTER** ça ! »

Dans ma tête aussi, c'est l'arrosoir. L'arrosoir à questions : ce calibre de flocons nécessite-t-il déjà l'équipement maximal ? Ne verrait-on plus l'herbe avant mai ?

Les vélos ont-ils des pneus d'hiver ?

À personne, je n'ai osé les poser.

Alors j'ai gardé mon sourire béat. Et niais.

Pablo et Sencha sont sortis, emmitouflés, gober le ciel en poudre.

La neige, c'est drôle.

Alors si c'est drôle une fois, je me dis que ça peut être drôle les 127 autres fois aussi…

81

LA BOÎTE À LUNCH

– Ben, Pablo, où sont les restes pour ta boîte à lunch ?

– Quels restes ?

– Dans la poêle, à gauche, c'est ce que tu devais manger ce soir, et à droite, c'est ce que tu devais garder pour ta boîte à lunch de demain midi.

– T'aurais dû faire une ligne de démarcation plus claire avec les saucisses…

– (Soupir.)

– Désolé, mais si j'ai encore faim, ça ne s'appelle pas des restes. Ça s'appelle mon repas.

– C'est ingérable, cette histoire de boîtes à lunch, avec nos fichues habitudes françaises on nous a toujours appris à finir notre assiette. Du coup, on est incapable de mettre quoi que ce soit de côté pour le lendemain. À peine le repas fini, il faut se remettre à cuisiner. Ce n'est pas une vie, ça ! Pourquoi les petits Québécois n'ont pas des cantines comme tout le monde ?

– Pour ne pas apprendre à devoir finir leurs assiettes ?

– Très bien. J'abdique. On va te faire des sandwichs.

– **Cooool !** De toute façon, mes copains, ils trouvent toujours ma boîte à lunch suspecte… Ils disent : « C'est bizarre, on dirait un vrai repas dans ta boîte à lunch ! »

– Ah là, là… Au moins, tu as de la chance, le frigo regorge d'un grand choix de fromages pour la garniture, **cheddar orange ? cheddar blanc ? cheddar en tranches ? cheddar en fils ? cheddar râpé ?**

LA MÉMOIRE

Dès le début, la devise a fait rire Leslie.

« Je me souviens. »

Peut-être parce qu'elle la lisait à la poupe de chaque voiture, se rappelant ainsi qu'elle n'avait toujours pas son permis.

« Mais je me souviens de quoi, au fait ? »

Leslie a demandé.

Question rapidement relayée par tous nos visiteurs français, pensant s'en tirer avec une brève leçon d'histoire qui pourrait les aider à légender leur album de *scrapbooking*.

Bien en mal de leur répondre, chaque fois, je me jurais d'aller vérifier à quoi correspondait cette brusque résurgence.

Et puis, j'oubliais.

Alors, pour ne pas perdre la face, je balayais rapidement ma mémoire des choses d'autrefois, y cherchant une bouée.

« Euh… Je crois que ça signifie quelque chose comme je me souviens de mon passé. »

Le silence qui s'ensuivait, ponctué d'un regard désolé pour moi, me faisait toujours me sentir très seule. Et même pas avec mes souvenirs.

J'allais lire pour boucher mes trous.

« Je me souviens » ne serait en fait que la première partie d'une citation. Dont on aurait oublié la suite. Ironique.

« Je me souviens que, né sous le lys, je croîs sous la rose. » Soit : « Je n'oublie pas que je suis né sous l'autorité de la France, mais que je grandis sous l'autorité de l'Angleterre. »

83

Une explication du fameux salut québécois «bonjour-*hi*!», en quelque sorte.

Mais on n'est pas sûr.

Ce serait peut-être que Taché, facétieux concepteur de bâtiments et de cette énigme, aurait voulu dire que les Québécois se souviennent de leur passé mélangé: des Amérindiens, des explorateurs, des missionnaires, des militaires, des Français et des Anglais.

Du coup, ça fait un peu trop de monde à se rentrer dans la caboche.

En fait, Taché, lui, se souvient.

Mais il est bien le seul.

Ce qui est sûr, c'est que ces trois mots en jettent. Un peu comme les sourires cyniques et les regards entendus attachés aux visages de certains, dont on ne sait jamais si c'est pour cacher un cerveau trop plein ou trop vide.

Et puis, j'aime cette idée d'une nation confiante. Où l'ancienne génération présume (trop) des qualités mnésiques des suivantes, et où la nouvelle laisse les précédentes définir son identité sur un truc super important. Un truc super important, mais inutile à retenir.

84

LA FLEUR AU FUSIL

– C'est drôle, j'ai croisé des dizaines de gens avec des coquelicots à la boutonnière ces jours-ci. Est-ce que tu sais pourquoi?

– Voyons, Audrey, le 11 novembre, ça ne te dit rien? On arbore des coquelicots en souvenir de ceux qui ont donné leur temps ou leur vie à la Première Guerre mondiale.

– **Wow! C'est vrai.** Je n'y avais jamais vraiment pensé. On ne parle que des soldats américains tombés pour l'Europe. Mais les Canadiens aussi se sont battus « pour » nous. Si j'avais su, j'aurais investi dans un coquelicot. C'est au boulot qu'ils t'ont expliqué tout ça?

– Oui. Parce que moi, je croyais que le coquelicot, c'était pour montrer qu'on s'était fait vacciner contre la grippe A!

85

LA TENTE

Une maman de la crèche de Sencha :

– Bonjour, comment ça va ? Vous avez passé de bonnes fêtes ?

Pierre :

– … Euh, eh bien, comme d'habitude !

Moi, parlant (à Pierre) tout en souriant (à la maman) :

– Ben qu'est-ce qui te prend ? Elle parlait de Yom Kippour ! Pourquoi tu ne lui as pas dit qu'on n'était pas juifs ?

Réponse : regard vide.

Le même que quand j'explique pour la 500e fois ce qu'on met dans la sécheuse et ce qu'on ne met pas.

Alors je dois extrapoler. Pourquoi ?

a) Parce qu'il n'a rien compris.

b) Parce qu'on est au beau milieu de la fête de Sukkot, célébration des 40 ans passés dans le désert par le peuple juif avant de récupérer la Torah. On mange des pizzas sous une tente, la sukkah, d'où on voit les étoiles. C'est la tradition pour Sukkot. (Pas les pizzas, la sukkah.) Et que Pierre a peur de se faire virer de la sukkah. Sans les pizzas.

c) Parce sous cette sukkah, Sencha est en train de secouer un citron dans sa main droite et un bout de bambou dans sa main gauche, juste à côté du rabbin.

Et que Pierre est déjà pas mal occupé à comprendre à quel moment, sans qu'il ne s'en rende compte, sa vie a basculé…

e) Parce que Pierre a **VRAIMENT** fêté Yom Kippour. Sans nous le dire.

LES MOTOS

Mon copain Simon est devenu légèrement blanc.

Et un tout petit peu insistant.

Connaissant son sens de la mesure, cela aurait dû nous mettre la puce à l'oreille.

« Ce bar est très mal fréquenté. N'y mettez même pas un pied. C'est un ancien repaire de motards. »

Mais nous, on a plissé nos yeux et fendu notre sourire :

« Ouh là, là ! Des motards ! »

Riant effrontément, mais naïvement, au nez du diable.

Jusqu'à cet instant précis, dans nos têtes, la seule raison de s'effrayer d'un motard aurait peut-être été l'odeur de son tee-shirt chien-loup[2], le goût douteux de son blouson en cuir avec clous **ET** franges ou son dragon aux couleurs trop pastelles tatoué sur l'omoplate.

Sachant que tout le mal dont ils pourraient se rendre coupables serait de vider trop de canettes de bière avant de se rendre à un concert de Johnny[3].

Plutôt un potentiel de tocards incultes que de gangsters intimidants.

Puis, Simon a égrainé sa litanie : Hells Angels, leur vie, leur œuvre.

Meurtres en pagaille, gangstérisme, possession et trafic de stupéfiants.

---

2. Sous-titre : chandail de loup.
3. Sous-titre : le Michel Louvain français !

Effectivement, on ne parlait pas des mêmes.

D'un côté et de l'autre de l'océan, nos motards ne sont pas ex aequo.

Même s'ils ont les mêmes motos.

Ici, ils n'ont pas de sites Internet de vente de porte-clés Harley-Davidson.

Ici, ils pensent que l'enfer, c'est sur terre, et que l'on s'en échappe par la vitesse, la moto et l'usage de produits stupéfiants.

Et pas mal par la prison, dans leur cas.

Bref.

Bandidos et Carcajou, je l'ai bien saisi, ne sont donc pas des personnages Pokémon.

Les premiers représentent un gang de bikers redoutables, et les seconds, une unité policière canadienne spéciale-ment conçue pour se colleter avec les Hells Angels.

Rien que pour ça.

Il faut dire que nous avons affaire à un groupe méticuleu-sement organisé : une vraie hiérarchie, des sections, des chapitres, dans tout plein de villes canadiennes.

Presque comme chez les Scouts.

Je sais, je sais, ça n'a rien de drôle.

Mais, Québécois, imaginez-vous deux secondes devoir trembler – **mais vraiment trembler** – devant Bonhomme Carnaval, et vous comprendrez ce choc culturel.

89

LA TÊTE IMMOBILIÈRE

– C'est quand même bizarre, cette manie qu'ils ont d'afficher leur gentille bobine partout, les agents immobiliers québécois.

– Pas faux…

– Si je voulais acheter une maison dans Rosemont, je me ficherais de savoir si mon entremetteur est une blonde replète ou un moustachu à lunettes. Regarde! À la place de leurs poires, ils pourraient publier quatre annonces de plus.

– **Erreur!** Un visage, ça met en confiance, c'est une marque de fabrique. Avec le temps, tu intègres que «Sylvie coupe au carré et col roulé rouge» a toujours des super condos champêtres et ancestraux. Et puis, avec ce sourire, elle ne peut **PAS** t'arnaquer…

– Remarque, heureusement qu'il y a des images, parce que les textes, là, je ne suis pas sûre de bien saisir : «Maison 36 000 pieds carrés, électros *stainless*, fenestration abondante, verrière 4 saisons, *paddocks*, grand *bachelor* et grand *walk-in*, idéal bigénération.» Moi pas comprendre.

– Non, je t'assure, les Québécois ont tout pigé… Si tu veux vendre, tu dois toi-même devenir une marque, une icône.

– Oui, bon, OK. Mais il y a aussi des Français qui l'ont compris, hein.

– Ah oui? Qui?

– Euh… La vache qui rit?

L'ESTIME DE SOI

Il se passe quelque chose de bizarre ici.

Qui me trotte dans la tête.

En septembre, le jour de la rentrée scolaire, je suis passée devant une cour d'école. Les enfants jouaient, il y avait des ballons colorés, des gâteaux, de la musique, des parents et des profs souriants. Au micro, l'un d'eux disait : «On est **TELLEMENT** fiers d'accueillir cette année les élèves de la classe de secondaire 1! Ils sont tellement contents et on va bien travailler ensemble, ça va être super!»

Et le public en délire de se lancer dans un tonnerre d'applaudissements.

Je suis restée bêtement plantée là, sur le trottoir, subjuguée par cette scène extra-terrestre.

J'ai eu beau me creuser la tête. Ça ne ressemblait pas vraiment à mes jours de rentrée dans les différentes académies de l'Hexagone.

À peine à mes kermesses.

Et puis, ça a continué. À la garderie de Sencha, on ne parle que d'apprentissage de la confiance en soi. À la fin de l'année, il y aura une fête de graduation, pour célébrer les élèves.

En classe, ils font des petits exposés oraux, en parlant d'eux ou de ce qu'ils veulent, juste pour apprendre à s'exprimer en public.

Pour moi, au primaire, prendre la parole en public, ça voulait dire réciter une poésie ou une table de multiplication. Avec une boule dans le ventre à l'idée de devenir la risée de la récré.

Ici, sur les copies de Pablo, les bonnes notes sont assorties d'étoiles autocollantes dorées. À la réunion parents-professeurs, ils l'ont remercié de participer à la bonne ambiance de la classe

D'accord, je ne m'attendais pas à ce qu'on leur colle des coups de baguette sur le nez, mais je ne pensais pas non plus avoir inscrit les enfants à l'école des Bisounours.

Ici, il n'y a pas de fessées qui se perdent. Il n'y a que des fessées perdues qu'on n'a jamais retrouvées.

Ça me plaît.

La façon dont on apprend aux enfants à avoir confiance en eux est tout simplement bluffante.

LA LIMITE ?

Quand Ricardo, qui suit un cours à l'université, est allé voir son professeur pour comprendre ce qui lui avait échappé dans l'exercice et lui avait valu une note pourrie.

— Si vous voulez, je vais remonter votre note, s'est tout de suite exclamé le prof.

— Non, non, ce n'est pas ce que je demande. Je souhaite juste comprendre mon erreur.

— Donnez-moi votre copie, je peux peut-être vous trouver quelques points supplémentaires.

Inès est d'accord : ce régime peut parfois poser des problèmes. Dans certaines écoles, on ne joue plus au ballon-chasseur en récré, de peur de faire de la peine aux perdants. Au primaire, après une compétition, tout le monde repart chez lui avec un trophée sous le bras.

On lui a même parlé d'une professeure qui corrigeait ses copies en vert, plutôt qu'en rouge : trop agressif et négatif.

Oui, reconnaît-elle, on crée d'emblée des jeunes hommes
et femmes fort confiants en eux, qui n'ont pas peur de
réclamer ce qui leur est dû, mais aussi des jeunes peu
habitués à l'échec ou à la critique, difficiles à éviter dans
le monde professionnel.

N'empêche que selon moi, la confiance en soi, c'est un
peu comme la neige à Noël : en France, on n'en a pas
assez.

93

LE PUBLIC

– Combien?

– Cinq.

– Cinq rappels?

– Pierre, j'ai cru que toute la salle était soudainement frappée d'un Parkinson sévère. Impossible de les faire arrêter d'applaudir.

– La chaleur du public québécois! Mondialement connue…

– Ce n'est plus de la chaleur, c'est une radiation nucléaire! Éric dit que c'est la différence entre les Québécois et les Français : les Québécois passent leur temps à dire « Merci » et les Français à dire « Excusez-moi »…

– Excuse-moi, t'as dit quoi?

– C'est drôle quand même… Les artistes québécois ne rêvent que d'aller en France, l'étape obligée qui propulsera leur carrière. Et les artistes français ne rêvent que d'aller au Québec; rendus dépressifs par le bon vieux sens critique tricolore, ils fantasment qu'on les gratouille derrière les oreilles avec des mots d'amour et trois *standing ovations*.

– Le paradis ne vaut que par le purgatoire…

LA POUTINE

– Je ne comprends pas l'essence même de la poutine.

– Un vrai problème métaphysique.

– Non mais, regarde, on aime les frites parce qu'elles croustillent. Mais si on les baigne dans un jus de viande, ça les rend molles. Ça nie le concept même de frites.

– Et sur la poutine au foie gras, t'as un avis métaphysique, aussi?

– Marie-Julie dit que ça reflète bien le Québec: **une base américaine, une pointe d'Europe et un tout bien consistant.**

– Pas bête.

– Ouais… Maintenant qu'on en parle, je crois que je me suis toujours un peu sentie définie par le cassoulet. Pas toi?

SAISON 3 :
HIVER

DANS LES ÉPISODES PRÉCÉDENTS...

Audrey a retrouvé du travail.

Pierre, c'est le travail qui l'a retrouvé.

Mamie, en France, s'est familiarisée avec le concept du *baby-sitting* sur Skype. Avec la petite, elle lit, elle chante : c'est fort pratique! Sauf quand Sencha insiste pour partager son pain doré avec l'écran.

Après avoir arpenté toutes les ventes de garages de l'été, Pablo dispose d'autant de matériel de hockey que tous les joueurs des Canadiens réunis.

Il s'en sert le soir. Qui rime, tant pis, avec noir.

Leslie, elle, est allée voir des matchs de catch.

Ça n'a aucun rapport.

Plusieurs convois français ont déjà profité de l'escale montréalaise. L'appartement a fait sa demande de certification pour obtenir une troisième étoile.

Le marché Jean-Talon a rétréci.

Les stalactites se sont allongées.

C'est beau quand elles brillent au soleil.

Mais la famille plaint sincèrement les chats, qui risquent leur vie en longeant les toits.

Le matin, quand Sencha sort, elle se prépare elle-même. « Moi tout seul », répète le disque rayé.

Les parents ont réglé le réveil 25 minutes plus tôt.

Parce qu'enlever deux pieds d'une même moufle, ça prend du temps.

LES PULLS DE LÉGENDE

– Excusez-moi, monsieur, je cherche le rayon des pulls spéciaux.

– Des pulls en spécial?

– Non, non. Des pulls très chauds. Pour l'hiver d'ici, quoi.

– Ben, tout est là, juste devant vous.

– Là? Mais… Ce sont des polaires normales… Les mêmes que chez Décathlon[4]. Ben, ça alors… Les bonnets, les écharpes, les pulls: identiques à chez nous.

– …

– Non mais moi, je n'ai rien acheté en France, parce que tout le monde m'a dit que le plus chaud des pulls français ne serait jamais assez chaud pour l'hiver québécois. Tout le monde m'a assuré que les magasins québécois regorgeaient de races de pulls indigènes aux qualités calorifères incroyables, des équipements spéciaux pour le grand froid, des textiles du futur, des matières imperméables aux températures négatives. Tout le monde m'a dit que je n'avais qu'à bien me tenir…

– Ben, tout le monde s'est bien moqué de vous.

– Parfait.

– **Ha, ha, ha!** Qu'est-ce qui est plus chaud qu'une polaire française? Ben, deux polaires françaises l'une sur l'autre! Hé, hé! N'importe quoi, ces Français!

– Ha, ha.

Moi aussi, si je passais tout l'hiver dans ces caleçons longs qu'on ne voit que dans les BD des Dalton, j'aurais le rire facile.

---

4. Sous-titre: La Cordée.

L'ENFANT ÉCARLATE

– Wikipédia, je cite, «Scarlatine: l'infection survient surtout en période froide.»

– Mort de rire. Jaune.

– Ils disent que ses boutons peuvent rester encore quinze jours!

– Génial, Audrey! Et est-ce qu'ils disent, dans ton encyclopédie savante, qu'il faut sept **HEURES** au système de santé québécois pour diagnostiquer et administrer le bon médicament à une enfant baladée d'urgences en urgences et tremblante de fièvre?

– **Ooooouuuuuh!** T'es grognon? La France te manque?

– **Grrrrrrrrrrrrrrrr.**

– C'est la première fois qu'elle est malade ici… Ça pourrait être pire.

– C'est sûr! Ma mère l'a eue, la scarlatine. À l'époque, ils devaient rester isolés 40 jours pour ne pas contaminer les bons citoyens.

– Non, 40 jours, ça, c'est le carême. C'est la période que Jésus a passée dans le désert.

– Exactement. Paraît qu'il avait la scarlatine.

LE RAID

Je serre son écharpe, j'ajuste ses moufles, je tire sur son cache-col, j'enfile ses bottes, je zippe sa combinaison et son manteau.

Je l'embrasse, lui dis bonne chance et je la cale dans la poussette tout-terrain.

Je jette un coup d'œil à Pablo qui me fait un signe rapide qu'il est prêt, en rabattant sa capuche.

La porte du garage glisse doucement. Il fait nuit.

Les vents sont contre nous.

On s'élance pour passer un premier barrage de neige.

Les bottes s'enfoncent.

Ça crisse, j'insiste, je réunis mes forces.

Franchi!

On atteint le chemin : 30 centimètres de neige fraîche et de monticules entassés là.

L'air froid vient nous saluer.

On rougit. Pas de plaisir. On bouffe des flocons.

Je pousse la poussette le long de la côte, la tête légèrement rentrée dans les épaules.

Parfois je dérape, suis-je encore sur le trottoir? sur la route? dans un jardin? Je ne sais plus, je suis perdue.

T'es où, Pablo? Pablo?

Tous les bruits sont étouffés, la lumière jaune des lampadaires sur la neige donne une impression bizarre de décor en carton-pâte.

Je pousse, je tire, j'escalade la neige.
J'ai chaud. C'est dur.

Dans ma nouvelle vie, ça s'appelle :
aller à la bibliothèque.

Évidemment, personne ici ne se sent obligé d'aller emprunter les derniers numéros de *Popi* en pleine tempête de neige.
La première, en plus.
Mais nous, on n'attendait que ça.

C'est vrai.
Jusqu'à aujourd'hui, je snobais tous ces groupes de musique québécois qui ne peuvent pas s'empêcher de parler de la neige dans toutes leurs chansons.

Et derrière la neige, alors?
Rien?
Mais aujourd'hui, j'ai compris que je n'avais rien compris.
De ce Montréal que j'ai toujours vu sec et imberbe.
Franchement, cette neige, c'est la quatrième dimension.
Surtout pour une fille qui ne sait même pas comment épeler ski.
Oui, je retire tout ce que j'ai dit sur la banalité de parler de la neige au Québec.
Non, pour rien au monde, je ne voudrais d'un père Noël sans barbe blanche.
Et oui, j'ai changé d'avis sur l'utilité des énormes poussettes trois roues.
Autant que sur la péridurale.

LA GUIGNOLÉE

– Et tu as répondu quoi?

– J'ai dit, «C'est gentil, non merci.» Avec un grand sourire.

– **Quoi? Non! Ha, ha, ha, ha!** Tu es en train de m'expliquer que des p'tits scouts sont venus chez toi pour la grande guignolée et que tu leur as répondu ça?

– C'est quoi, une guignolée?

– Tous les ans, pour les fêtes, ils font du porte à porte pour collecter des aliments qui seront distribués par la Banque alimentaire. Tout le monde donne des paquets de biscuits, de pâtes, des conserves.

– **AAAAAAAAAAAAH!** Moi, je croyais qu'ils allaient me vendre des billets de spectacle pour un truc genre Guignol. Je comprends mieux leurs bouilles désappointées…

– Ouais, c'est un peu comme si quelqu'un se noyait et te demandais de l'aide, et que tu lui répondais: «Non merci, pas aujourd'hui…»

– Misère! Je n'oserai plus jamais regarder un scout en face…

105

LA MÉTÉO

– Il va neiger aujourd'hui!

– Comment tu le sais? Sans télé et sans avoir écouté la radio?

– Grâce au journal.

– Ah bon? Mais je croyais qu'il n'y avait pas la météo dans le journal. Je me rappelle d'ailleurs que tu as mis du temps à t'en remettre…

– C'est pourtant simple: quand le journal, sur le perron, est enveloppé d'un plastique, c'est qu'il va pleuvoir ou neiger. D'où le dicton: journal emballé, temps enneigé.

– Impressionnant…

LA POLITESSE

Une salle de concert à Montréal.

Au premier rang, un photographe amateur, mais déterminé.

À sa droite, un Québécois. À sa gauche, un Français.

Premières notes du concert électro.

Silence, concentration, répertoire pointu.

Le photographe fend cette atmosphère recueillie : **Clac. Clac. ClacClac. ClacClacClacClac. Clac.**

Vraisemblablement en mode : « Je photographierai bruyamment chaque seconde de cette prestation, coûte que coûte. »

Regards en biais vers ce gêneur.

Cela ne le gêne pas.

Il continue. **ReClac.** Clac encore. Et que je te **flashe** de temps en temps.

Le premier *set* est fini. Pause.

Le Québécois se tourne vers son voisin tapageur, le sourire patient.

– Salut. Ça va bien ? Tu prends des photos. C'est l'fun, ça ! Tu es professionnel ?

– Non, non, je fais ça pour un site Internet associatif.

– Bien, bien, c'est beau, ça. Pis moi, j'ai fait quatre heures de route pour venir voir ce groupe. C'est un groupe que j'adore. Pis, là, avec le bruit de tes photos, je n'arrive pas à apprécier le concert. Tu penses-tu que tu pourrais faire un peu moins de bruit ?

– Non, je dois photographier.

– **Ah, oui, je comprends. OK, c'est correct.**

Le Français se tait.

Deuxième *set*. Le premier accord de guitare n'a même pas fini de sonner que déjà **Clac**. **Clac. ClacClac. ClacClacClacClac. Clac.**

Le Français tourne lentement la tête à droite, vers son voisin sonore, regard fixe, sourcils dissuasifs :

  – **T'arrêtes ça tout de suite et tu dégages.**

Le photographe s'arrête. Tout de suite. Et il dégage.

Qu'est-ce qui est plus tolérant qu'un Québécois ?

Deux Québécois.

Et qu'est-ce qui est plus râleur et impoli qu'un Français ?

Pffff. Rien. Un seul suffit.

La salle est redevenue silencieuse autour de la musique.

Le Québécois se tourne discrètement vers la gauche et, à travers la place vide, il sourit au Français.

LE NÉCESSAIRE

– Bon, eh bien, ma chérie, on atterrira à Montréal vers 14 heures.

– Je serai à l'aéroport, maman!

– Alors, maintenant, dis-moi ce que tu veux que je te rapporte! J'ai fait de la place dans ma valise pour apporter les choses essentielles dont tu manques là-bas…

– …

– Du chocolat? Des livres? Du cidre? Des médicaments?

– Oui, enfin maman, tu sais… le Canada, c'est un pays plutôt développé. Niveau consommation et surconsommation, à côté, la France, c'est presque Cuba…

– Une poêle à crêpes? Du porto? Des culottes XS? Du savon bio?

– Ben, je ne sais pas… Des allumettes, tiens! Hé, hé! Pour mettre feu à la graisse de yack qui réchauffera notre igloo!

– Parfait! Tu vois, moi qui allais prendre des bouteilles de Bordeaux, j'aurais tapé complètement à côté!

– OK. Ton cynisme français me suffira.

LES POMPIERS

Wiiiiiiiiiiiiiiiiiiiiiiiiiiiiiiiiiiiiion.
Wiiiiiiiiiiiiiiiiiiiiiiiiiiiiiiiiiiiiiiiiiion.
Tut tut.
Tuut tuuuuuuuuuuuuuuut !
Ferme la bouche, Audrey.

Chaque fois, ça me fait la même chose. Leur passage me transforme en statue. Sourcils levés, corps figé, bouche ouverte : je ne suis plus qu'admiration béate. Ils sont là, puis ils ne le sont plus. En un éclair, ils sont passés, ils ont égayé ma journée.

Les pompiers.

Ils sont magiques.

Quand tu les croises en France, tu peux continuer à faire autre chose : tu parles, tu téléphones, tu jettes un coup d'œil distrait.

Mais ici, ils captent ton âme toute entière.

Leurs camions doivent être aimantés.

Rouges comme une pomme ensorcelée, argentés, rutilants comme les couverts de grand-mère.

Ils sont là, tout le temps, partout. Oui, là, derrière vous !

Trois fusées rouges d'où sort une nuée de Ken en tenues jaunes, musclés et souriants.

Et puis surtout, ces camions, ils sont énormes.

ÉNORMES.

Ça roule à la testostérone, ça, pas au sans plomb.

Leurs mâchoires balaient la rue entière, leur sirènes laissent sur le passage un auditoire sourd, aveugle et muet pour au moins dix bonnes minutes.

Après la stupéfaction, on est pris d'une transe bizarre, d'une envie de sauter dans une voiture, par la fenêtre ouverte évidemment, de s'agripper au volant et de suivre l'imposant cortège en hurlant : «Starsky et Huuuuuuutch!»

À côté, les camions de pompiers français semblent avoir rétréci au sèche-linge.
Un peu timides, quoi.
Genre : «Euh, excusez-moi, s'il vous plaît! Si ça ne vous dérange pas, là, je passerais bien pour aller sauver deux ou trois vies.»

Pourtant.
Il y en a une, une seule, qui bat presque les pompiers sur notre échelle de popularité.
La voiture-poulet.
Jaune, petite, arborant fièrement le logo «Livraison Saint-Hubert», la voiture-poulet nous vaut toujours un arrêt d'une demi-seconde, quand on la croise. Et toujours la même discussion.

> — Elle va où, la voiture-poulet, maman?
> — La voiture-poulet va sauver des gens qui meurent de faim en leur fourrant des morceaux de poulet frit dans le bec, sans qu'ils aient à bouger de devant leur télévision.
> — Avec le ketchup, aussi?
> — Évidemment, Sencha, avec le ketchup aussi.

111

L'ARTICULATION

– Et qu'est-ce qu'il t'a répondu ?

– **Mmmlmmmbrmmlmp.**

– Comment il l'avait su ?

– **Pmmlmmrmmlmprmmm !**

– Quoi ?

– **Pmmlmmrmmlmprmmm !**

– Vivement cet été, que tu enlèves cette cagoule, cette écharpe et ce cache-col quand on discute, et qu'on recommence à avoir une vie.

LES CARTONS RETROUVÉS

– Allo? Audrey? Comment ça va? Je ne te réveille pas, là, avec le décalage? Bon… tu vas rire, notre cave vient d'être inondée!

– Hilarant.

– Juste la pièce où il y avait tous vos cartons.

– …

– …

– Deux secondes, je prends de quoi noter. Donc, tu as les caisses numérotées de combien à combien?

LE BUREAU

Certains matins, j'arrive au travail à la bourre.

Le temps de traverser le couloir entre la chambre et le bureau.

Je discute avec Yahoo, je bavarde avec Google Agenda, je jase boulot avec Skype et j'écoute les anecdotes de Facebook.

Quand je suis tannée de tant de relations humaines à forte surcharge émotionnelle, je m'en vais travailler au Laïka.

Au coin de Duluth et Saint-Laurent : le café où il fait bon travailler.

Au Laïka, il y a du mix down tempo, de la limonata, des tempuras au déjeuner, des grandes vitres et du béton underground.

Autant le dire : Le Laïka, c'est branché.

Wired, oserais-je même risquer.

Mais branché sur onde méga cool.

Avec de la faune à slims, à chemises à carreaux sous vestes de cuir, à jupes et bonnets *homemade*.

Au Laïka, un client sur deux est un « réaaaaaaal ».

L'autre est un artiste qui a des projets.

En collaboration avec d'autres artistes. Bien plus drôle…

Au top 10 des mots à la mode au Laïka, j'affirme sans hésiter que le numéro un, c'est « projets ».

Et après, c'est « subventions ».

Apparemment, il y en a moins que de projets.

LA FÊTE

– Pierre ? Tu fais quoi ?

– J'écris un mot à Inès pour son anniversaire.

– Bonne idée ! Moi, je me suis trompée, je croyais que c'était après-demain. Mais une de ses amies l'a appelée pour lui souhaiter une bonne fête et je me suis rendu compte que c'était aujourd'hui…

– Ah, OK, ben je vais lui envoyer après-demain, alors.

– Quoi ? Ben non, là, c'est aujourd'hui !

– Mais tu viens de dire que c'était sa fête, aujourd'hui ! La Sainte Inès, la fête de son prénom, le rite incontournable du calendrier, c'est bien ça ? Donc, si c'est sa fête, ce n'est pas son anniversaire…

– **Aaaaaaaaargh !** Non, enfin oui. Ici, pour dire « bon anniversaire », on dit « bonne fête ». Ton anniversaire, c'est ta fête !

– Mais si tu fêtes ta fête à ton anniversaire, qu'est-ce que tu fêtes à ta fête ? Et pour Marie-Julie et toutes les autres Anne-Gabrielle, tu fêtes à Marie ou à Julie ? À Anne ou à Gabrielle ?

– … Merci, chéri. Sans toi, ce livre n'existerait pas.

LES POSSIBLES

«Pourquoi le Canada? Qu'avez-vous trouvé, ici, que vous n'avez pas trouvé ailleurs?»

À tous les immigrants que j'interviewe pour mes articles, je pose cette même question.

Et tous me font la même réponse.

Celle aussi que je donne quand on me pose la question, à moi.

Des opportunités.

«Le Canada m'a donné tout ce qu'un immigrant demande et qu'on lui refuse souvent dans son propre pays: des occasions d'agir, de travailler, de parler, de se présenter.»

Un Canadien ne peut peut-être pas s'imaginer combien il est incongru pour une journaliste française plutôt jeune – un exemple au hasard – d'appeler le rédacteur en chef d'un magazine québécois célèbre, qu'elle ne connaît ni d'Ève ni d'Adam, de lui proposer une idée d'article et de s'entendre répondre: «Bonne idée! On essaie. Si c'est bon, je te garde, si ça ne l'est pas, je ne te paie pas.»

Elle raccroche, rêveuse: «Il m'a donné ma chance.»

Elle trouve ça presque bizarre.

Elle cherche le piège.

Il ne lui a pas demandé de qui elle était la fille, si elle connaissait untel, de quelle école de journalisme elle était diplômée. Même pas son groupe sanguin.

Il a oublié de la laisser mariner en prenant un air supérieur.

Il n'est pas normal.

Il n'a pas eu d'a priori, il ne veut la juger que sur ses compétences et sa capacité à remplir une mission donnée.

Il est plutôt encourageant, plutôt positif.

Il n'est décidément pas normal.

Le cliché du «tout est possible» américain, du paradis de l'entreprenariat et de la chance donnée à chacun est presque aussi éculé que l'image du Français se promenant la baguette sous le bras.

Et pourtant.

Les Français se promènent une baguette sous le bras.

C'est vrai.

Ma copine Flavia, immigrée elle aussi, dit qu'ici, le ciel est plus haut. Dans la tête des gens aussi. C'est peut-être pour ça que les enfants des garderies sortent en laisse, comme dit Sencha. Peur de s'envoler…

L'Amérique du Nord est définitivement tournée vers l'avenir, vers les jeunes, vers le mouvement.

C'est pour ça qu'un cheddar de six mois est déjà vieux et que le Vieux-Montréal est plus moderne que les deux tiers des patelins français.

Là où l'Europe est tournée vers le passé, vers les anciens, vers la conservation des acquis.

Radio Nostalgie.

Certains jeunes Français au chômage, aussi surdiplômés que démotivés, n'en peuvent plus de l'écouter.

Mais je ne critique pas.

Tous ces immigrants que j'ai interviewés, ils m'ont bien dit qu'ici, on donne sa chance au meilleur, peu importe qui il est.

Ils m'ont aussi dit qu'un jour, tu te lèves le matin et tu es fatigué d'être le meilleur.

C'est ta sortie d'autoroute.

117

Et puis, il y a cette toute jeune vice-présidente d'un grand groupe canadien, qui a dû oublier de sécher ses cours à HEC.
Elle dit que chaque génération a ses défis.
Et que l'un des défis de la sienne est de vivre dans une société où tout est possible.
Tellement d'opportunités qu'il en devient difficile de faire un choix.
Alors, paralysée par les possibles, sa génération s'échoue devant la télé.
À regarder, qui sait, la même émission que les jeunes chômeurs français…

LE POUVOIR D'ACHAT

– Les Québécois nous trouvent bizarres à toujours parler de «pouvoir d'achat»!

– Ah ouais…

– Marco dit que c'est un concept typiquement français. Qu'ici, personne ne parle jamais de pouvoir d'achat.

– Ouais, le syndrome de la frite McCain, quoi.

– …

– C'est ceux qui en parlent le plus qui en ont le moins!

– **Ha, ha!** Ouais! Et ma baisse de 2000 euros de salaire entre mon départ de France et mon arrivée ici, si ce n'est pas une diminution de mon pouvoir d'achat, je ne sais pas comment ils appellent ça, les Québécois!

– Une impuissance d'achat?

LA CAROTTE

– Y a une technique ? Comment ça, y a une technique ?

– Mais avoue-le, Audrey ! Regarde ! Deux vieux tas informes ! C'est évident qu'il y a une technique ! L'autre truc évident, c'est qu'on ne l'a pas, la technique.

– Calvin et Hobbes[5] ont l'air de faire ça très intuitivement, pourtant.

– Oui, mais c'est comme les bus jaunes, les flics motards dans *Chips* ou les maillots de bain rouges dans *Alerte à Malibu*. Ça nous semble familier, mais en fait, c'est exotique. D'un autre monde. En réalité, on n'y connaît rien.

– Quoi, Sencha ? Comment ça, il est où le bonhomme de neige ? Sous tes pieds. Tu marches dessus ! Non, ce n'est pas une « petite montagne ». Y a des carottes sur les petites montagnes ? Pfff !

– Et si on faisait une petite boule en haut du mont Royal et qu'on la roulait jusqu'en bas ? Ça marcherait, ça, pour faire le ventre ?

– Dans *Calvin et Hobbes*, en tout cas, ça marche…

120

---

5. Les hilarants personnages de la bande dessinée de Bill Watterson.

L'AUTORITÉ

– **Ouiiiiiiii !** Encore gagné ! J'ai réussi à la calmer ! Je
suis trop forte.

– …

– J'adore, elle geint, tempête, siffle, hurle, tremble.
J'arrive, je la touche à peine et tout s'arrête. La puissance
divine qui calme l'apocalypse, c'est moi !

– Mais de qui tu parles ?

– Mais de la bouilloire, voyons… J'adooooore cette
mode américaine des vraies bouilloires de fer à
l'ancienne. Ça doit faire partie du *pack* d'entraînement
à la confiance en soi…

LES ESCARGOTS

Les Montréalais sont des escargots.

Ce n'est pas tant qu'ils marchent lentement, bien que quarante centimètres de neige sur un trottoir, ça vous ralentisse un homme…

Non.

C'est qu'ils emportent partout leur maison sur leur dos. Le métro ou la rue ne sont ni plus ni moins qu'une extension de leur chambre à coucher.

Ces gens-là vivent avec leur couette sur le dos. Ils les appellent des manteaux. Moi, des trucs si chauds, si rembourrés et si plein de plumes, j'appelle ça des couettes.

Ils se baladent partout avec leur tasse de café à la main. Et que je te sirote par-ci et que je te gobelote par-là… Les yeux dans le vague derrière leur tasse fumante, on dirait qu'ils n'ont mentalement pas encore quitté leur table de petit-déjeuner.

Ils se déplacent en musique, aussi. Leur sono de salon vissée sur leurs oreilles, communément appelée mp3.

Il y a encore le tchador ou la kippa ou la burqa ou tout autre crucifix en bandoulière, qu'ils portent tranquillement, alors que la République française et laïque, s'ils y vivaient, les intimerait de les laisser au placard.

Attention! La question du jour, ce n'est pas : «Pour ou contre les accommodements raisonnables?»

Non, la question du jour, c'est : «Mais que peut-il bien rester chez tous ces Montréalais une fois qu'ils ont quitté leur maison?»

LA FRONTIÈRE

22 décembre, 16 heures. Passage de la frontière du Canada vers les États-Unis.

   – Où allez-vous ? Pourquoi ? Pour combien de temps ? Combien avez-vous d'argent ? Quel est votre travail ? Ce sont vos enfants ? Et cette voiture, elle est à vous ? Vos visas ? Êtes-vous déjà allé aux États-Unis ? Et est-ce que vous transportez des fruits et légumes ?

   – Non, pas de fruits ni de légumes.

   – OK, allez-y.

   – T'as menti, papa.

   – Quoi ?

   – Y a une banane dans le coffre.

   – Oui, bon, en même temps, je doute de finir ma vie à Guantanamo pour passage illégal de banane.

123

24 décembre, 16 heures. Passage de la frontière des États-Unis vers le Canada.

   – Vous rapportez des marchandises américaines ?

   – Non, non. Rien.

   – Rien du tout ?

   – Ah, enfin, si… Des chips.

   – OK, c'est bon.

   – Des chips ? Pierre, tu déclares des chips ? Tu as raison, un douanier devrait toujours se méfier d'un pauvre sachet de croustilles ; goût barbecue végétarien…

   – Faudrait savoir ! Soit je ne déclare pas assez, soit je déclare trop…

–Oh, oh! Mais j'ai compris vos manigances, monsieur. Vous serez le premier contrebandier à avoir pénétré aux États-Unis pour troquer une banane contre des chips! **Arf, arf!** Attention, je sens que vous allez bientôt être fiché par le FBI…

   – Eh ben moi, je sens surtout qu'on me casserait moins les pieds à Guantanamo.

LE DÉNEIGEMENT

– Le maire de Moscou n'aime pas la neige.

– Fâcheux.

– En fait, il en a marre de mouiller ses mocassins en daim. Du coup, il propose que des avions bombardent les nuages de neige de produits chimiques, avant qu'ils n'atteignent la ville.

– Ingénieux... mais pas hyper écolo.

– Son idée ferait un malheur ici! Tu as vu? À chaque nouvelle tempête de neige, le travail des déneigeuses reprend... Un drôle de ballet, quand même. Mais je me demande...

– **Mmmm?**

– Dans mon imaginaire océanique, il neigeait tous les jours au Québec. Être déneigeur était donc un *full-time job*. Alors que non... Neige et déneige, tout cela, c'est en pointillés... Et qu'est-ce qu'ils font, ces lutteurs de flocons, quand ils ne conduisent pas leurs gros engins, bouchers? facteurs? courtiers?

– Pilotes d'avion, je pense. Ils explosent tous les nuages de neige **JUSTE** au-dessus de Montréal.

125

LA MARMOTTE

Hier, c'était la chandeleur.

Enfin, ça, c'est ce que vous croyez.

Ici, la chandeleur n'existe pas.

C'est le jour de la marmotte.

IN-CROY-ABLE!

Vous entendez : «Hier, c'était le jour de la marmotte!»

Évidemment, si les larmes ne vous sont pas déjà montées aux yeux, c'est que vous n'êtes pas fans de Bill Murray.

Et que vous n'êtes pas de ceux qui, comme mon frère, ne disent pas bonjour, mais plutôt :

«Salut les campeurs, et hauts les cœurs! Il va falloir mettre vos bottes parce que ça caille par ici! On n'est pas à Miami!»

Dans *Un jour sans fin*[6], Bill vit et revit sa journée à Punxsutawney, authentique bourgade de Pennsylvanie, où, ce jour-là, c'est Phil qui fait la loi.

Phil la marmotte.

Si Phil sort de son trou et voit son ombre en ce 2 février, l'hiver durera six autres semaines.

Alors?

Alors, hier, Phil a vu son ombre.

En cette semaine de -18 °C, j'avoue que le contraire m'aurait fait basculer dans le cynisme.

---

6. Sous-titre : *Le jour de la marmotte.*

LE MAILLOT

— Allez hop, à la douche!

— Qu'est-ce que c'est que ça? Audrey! Tu as passé la journée avec un haut de maillot de bain? Ne me dis pas que tu n'as toujours pas trouvé l'équivalence canadienne de ta taille de soutien-gorge!

— OK. Je ne te le dis pas, alors. Mais…

— Quoi? Parce que tu portes aussi le bas du maillot? T'as été à la piscine?

— En fait… non.

— Plus précisément?

— C'est mon acte de rébellion. Contre l'hiver. De temps en temps, je mets un maillot de bain sous mes habits, sous mon Damart[7], sous ma doudoune, sous mon bonnet, mon écharpe, ma cagoule et mes gants. Sous les pavés, la plage, quoi!

— **Incroyable!** Mais tu sais que les Québécois disent qu'on n'a pas vraiment eu d'hiver, cette année?

— Je dois avoir l'âme cubaine.

127

---

7. Damart est une marque de tee-shirts pour vieux frileux français, sans équivalent québécois. Car, c'est bien connu, les chandails québécois ont des propriétés calorifères supérieures, non?

LA PATINOIRE

– *Cendrillon* sur glace, *High School Musical* sur glace, *Le lac des cygnes* sur glace, pourquoi pas Tarzan sur glace, tant que tu y es? Non mais, tu as vu ce programme de spectacles? C'est *Holiday On Ice* tous les jours, ici…

– Tu crois que Cendrillon aura plutôt un balai ou plutôt un bâton de hockey?

– C'est drôle, cette manie de vouloir faire chausser des patins lamés à tous les classiques! Je me demande bien pourquoi…

– Pour pouvoir vendre des hot-dogs à l'entracte?

LA DATE DE PÉREMPTION

Les Québécois vivent sur la voie rapide.

Les baux de leurs appartements sont lapidaires, ils déménagent pour le plaisir de déménager, ils peuvent apprendre le lundi qu'ils n'auront plus de travail le mardi et savoir, dès le mercredi, comment fonctionne la machine à café de leur nouveau bureau.

Ils ne se marient pas, ils gravent leurs initiales d'amoureux sur des pétales de rose, ils ne gardent leurs chiens que deux ans, les charpentes de leurs maisons ne pourront jamais leur survivre et ils éternuent dans des mouchoirs jetables.

Ici, tout périme plus vite.

Même la grande scène du Festival de jazz change de côté un an sur deux.

Je soupçonne les Québécois de retourner leurs matelas tous les soirs.

Le mot «immobilisme» s'est fait la malle de leurs dictionnaires.

Tout remue et se renouvelle, tout varie et virevolte. J'adore.

En France, où un mur de pierres ne vaut que sous une couche de mousse et de lierre, où personne ne s'indispose d'une odeur de moisi ou de naphtaline, où les gens prennent racine sans même s'en rendre compte, on aurait le tournis.

Mais les Québécois ont trouvé leur parade.

Ils congèlent.

Ils congèlent tout.

Le pain, le beurre, les biscuits, le fromage.

Les tomates, le café, les yaourts, les bananes.

Même les jaunes d'œufs, dans des sachets à glaçons.

Oui, madame, je l'ai vu de mes yeux.

Pour arrêter le temps.

D'ailleurs, les Québécois eux-mêmes se congèlent durant quelques mois chaque année.

Une manière de ralentir leur manège effréné en figeant dans la glace.

L'hiver, quand le thermomètre échoue en deçà de mes limites, j'aime passer la main derrière le congélateur.

Sentir la chaleur de cette boîte qui garde des aliments très froids dans une maison très chaude pour ne pas sentir le très froid du dehors.

Les Québécois ont domestiqué le froid. À moins que ce ne soit le contraire.

L'OREILLE

– Leslie, **à taaaaaaable !** Mais… mais, qu'est-ce que tu fais, là ? Mais qu'est-ce qu'elle fait, là ?

– Je crois que c'est clair : elle se trempe l'oreille dans un bol d'eau.

– D'eau salée, même.

– … Un rituel canadien lié au passage des 18 ans, peut-être ?

– Meuh non. Je désinfecte mon nouveau *piercing*… Faut le faire matin et soir.

– Oui, euh, MIDI et soir, quoi, pour toi…

– **Ha, ha, ha !** Te plains pas ! Moi, j'ai compris ce qu'était un bain d'eau salée juste pour l'oreille. La « pierceuse » m'a expliqué qu'un de ses clients a pris des bains d'eau salée pendant trois mois. Il pensait que c'était pour tout le corps.

– Ah, ces Montréalais ! La mer leur manque trop…

131

LE COUIC

— T'as pas vu comment ça s'est passé.

— Peut-être, mais j'ai nettement entendu le « **couic** ».

— Ouais, un mini « **couic** ». Rien de plus.

— Mais qu'est-ce qui t'as pris ?

— J'ai couru vers le placard pour attraper une boîte de Pringles avant que la série ne commence.

— Bravo…

— C'était des *light*.

— Et ?

— Et je me suis pris les pieds dans le fil du casque. Un peu comme Mylène Farmer et son sac sur les marches de l'Élysée. Non, rien, laisse tomber…

— Et c'est là que…

— … que la boîte de Pringles a explosé par terre, en même temps que mon ordinateur portable.

— Alors ?

— Tu vas rire, pas un seul Pringle de cassé !

— Tu fais la maligne. Mais ce que tu ne visualises pas encore très bien, c'est que le réparateur va mettre un peu de temps à réparer ton bijou. Et en attendant, il va te prêter un *laptop*. Pas un ordinateur portable, non. Un *LAPTOP*.

— Et alors ?

— Alors, « Qwerty » ! Plus de cédilles, plus d'accents et tous tes copains français qui vont croire que tu deviens dyslexique du clavier…

— Ça prend une cédille « Pringles » ?

LES OLYMPIQUES

Le Canada vient de rafler un nombre historique de médailles d'or aux JO de Vancouver.

Intéressant.

Mais pas vraiment.

LE sujet qui alimente des kilomètres et des kilomètres de chroniques, d'articles et autres enquêtes, chaque jour que le dieu des anneaux a créé, est ailleurs.

Un scoop? Mieux que ça, un scandale, une polémique, un vrai débat national: **la cérémonie d'ouverture a boudé le français**.

Car oui, le français est la deuxième langue officielle du Canada. Mais cette chipie de cérémonie d'entrée s'est déroulée uniquement en anglais, mise à part une contribution de Garou qui ne peut pas, décemment, être comptabilisée à l'avantage de la langue de Molière.

Tous les jours, on y avait droit: le français est bafoué, piétiné.

Pas un Québécois n'a oublié de s'insurger.

Les Français, eux, s'en fichent comme de leur premier abécédaire.

Ils ne la sentent pas, eux, la menace anglophone. Vu leur niveau de connaissance de l'anglais, on les comprend...

Au même moment, ils passent leurs *week-ends* à *chatter* et *checker* leurs *mails*, installés dans leurs *kitchenettes hype* et *flashy*.

On me l'a fort bien expliqué ici: pour les Français, parler de la sorte, ça fait tendance. Pour les Québécois, ça fait juste «colonisé».

133

Sauf que mes amis montréalais se téléphonent quand même pour savoir s'ils ont bien *catché* que la réunion, auparavant *cédulée* à 2 *pm,* était *cancellée.*

Anyway...

LA BONNE FRANQUETTE

— Tu sais, aller au resto ici, c'est un peu comme aller dîner chez ta mère…

— Parce que le service n'est pas inclus ou parce que les crêpes de ma mère goûtent les *pancakes*?

— Non… Parce qu'on apporte du vin et qu'on remporte les restes.

SAISON 4 :
PRINTEMPS

DANS LES ÉPISODES PRÉCÉDENTS...

Audrey s'est insurgée : déjà ?
Elle a à peine réussi à nouer les lacets de ses patins à glace que la neige a déjà décidé de détaler.
Pierre est un peu vexé. Hiver trop doux.
Il craint qu'on lui enlève la médaille de l'expatriation.

La famille redécouvre « l'arrière ».
En arrière, les enfants jouent, les voitures sont bannies.
En arrière, on recommence à faire des barbecues.
En arrière, le linge sèche. On dirait l'Italie.
L'hiver, c'est le front.
Aujourd'hui, c'est le printemps, la famille déguerpit des tranchées.

Sencha n'a plus de doudous, rien que des toutous.
Pour Pierre, Trudeau n'est plus l'aéroport exotique mais celui du « je rentre à la maison ».
Leslie peut maintenant assortir ses journées à la fac de soirées au bar.
Pratique quand il y a grève à la fac. On ne perd pas complètement sa journée.

C'est la dernière saison.
Ils en ont tous conscience. Et ils savent qu'ils ne feront pas partie du prochain casting.
Pas une question d'audimat. C'était dans leur contrat dès le départ.
Alors ils vont essayer de quitter l'écran avec panache.

139

LA CABANE À SUCRE

— Regarde les seaux de métal accrochés au tronc des arbres. C'est là qu'ils récoltent l'eau d'érable, la sève de l'arbre. Christophe a expliqué qu'il fallait 40 seaux d'eau pour faire un seau de sirop d'érable.

— Tu es devenue érabliophile?

— Jaloux!

— Les oreilles de crisse n'ont plus de secret pour toi, alors?

— **Abssssssssolument.** C'est un constituant essentiel du repas traditionnel de la cabane à sucre, avec la soupe aux pois, le jambon à l'érable, les saucisses et le pouding chômeur. Les oreilles de crisse, c'est, genre, le blanc du jambon, frit dans l'huile et découpé en chips. Tu vois?

— Je préfère pas.

— Maman! Papa! Regardez les zanimaux, est-ce que c'est les rennes du père Noël?

141

— Ah oui, c'est un beau troupeau, Sencha. Mais te dire si ce sont des rennes, des daims ou des élans, alors là, Papa n'en a aucune idée…

— Ce sont des cerfs, ma puce. Maman en est sûre!

— Comment tu sais ça, madame l'érabliophile?

— C'est marqué sur le menu.

LE SYNDROME DE L'ÉCUREUIL

– Alors, tu es Français! Et la vie d'expatrié à Montréal, ça te plaît?

– Oh oui, Audrey, j'adore. Une fois qu'on a dépassé le syndrome de l'écureuil, c'est excellent.

– Le syndrome de l'écureuil?

– Ben oui, la maladie des expats… Quand tu arrives à Montréal, c'est génial, tout est beau, les Québécois te sourient à tout bout de champ, à grands coups de «ça va-tu ben?», le sirop d'érable coule à flots… Et les écureuils, partout, si mignons, si *cutes*! Avec des cœurs dans les yeux. Et puis, vient l'automne, tu trouves toujours pas de boulot, t'aimes plus les beignes de Tim Hortons, tu pleures sur le mauvais vin à 15 dollars et tu n'as toujours pas compris pourquoi les coups, au hockey, ne se donnent pas en direction des buts mais entre les joueurs. Alors là, quand se pointe un écureuil, tu te mets en transe. Tu le hais, tu le maudis, tu as envie de l'égorger. Il sautille gaiement en jouant avec un autre ami doux et gris? **Tu n'en peux plus, tu veux les embrocher. Tous. Toute cette vermine d'écureuils. Tu, tu…**

– **Wow**! Euh, rassieds-toi. Tu trembles, là. Bois un coup, tout va bien, tout va bien. T'inquiète, je pense qu'on est tranquilles, ce bar n'accepte pas de servir les écureuils…

– Toutes mes excuses, je m'emporte. J'ai souffert.

– Euh, je comprends. Mais… et les mouffettes? Ça te fait quoi, les mouffettes?

LA CHANTEUSE

Rester moi.

Garder mon identité de Française au Québec.

Dans ce bain de sympathie, dans cette mousse parfumée d'une autre culture, dans ce tourbillon soyeux d'une nouvelle francophonie, le risque de douce noyade est grand.

S'accrocher à un acte fondateur de la culture française…

Oui, mais quoi?

Facile!

Se moquer de Céline Dion.

Plus efficace qu'un passeport rouge bordeaux.

Pour certains Français, c'est devenu un sport national.

Mes copains rennais ne dérogeant que très peu à la règle, leur intérêt narquois pour ma nouvelle star locale, bien trop appuyé pour être honnête, me permet facilement de me tenir à flot.

Et j'en ai eu, des nouvelles à leur donner.

René et Céline attendaient un heureux événement pour mai. Grâce à un embryon congelé pendant huit ans.

Huit années durant lesquelles Céline «pensait souvent à son embryon congelé à New York». (?!)

Puis, avant qu'on ait eu le temps de dire sauve qui peut, Céline annonçait que ses cordes vocales surpuissantes inonderaient bientôt Las Vegas, dans des jeans slims en plus.

Coup de théâtre! L'embryon n'était plus. Et au moment même où Garou infligeait une agonie terrible aux athlètes de Vancouver encore vivants, Céline tentait de nouveau l'aventure de la grossesse congelée.

La grande dame affirmait ne voir aucun inconvénient à remonter sur scène en grosse baleine.

À mon avis, le seul qui aurait pu y trouver à redire aurait été l'otage ombilical, obligé de suivre tous les concerts de maman *in utero*…

Mais, re-roulement de tambours, ta-dam, ils étaient désormais deux.

Des jumeaux. Sûrement pour se soutenir mutuellement.

Ces rebondis rebondissements alimentaient mes commentaires caustiques.

J'étais une Française normale.

Jusqu'au jour où.

Alors que je m'apprêtais à me gausser grassement de la diva, j'ai ressenti comme une mini-décharge électrique interne. Résultat d'une lente et pernicieuse acculturation.

Je sais maintenant comment j'en suis arrivée là.

D'abord, dire qu'on n'aime pas Céline Dion ici, c'est comme dire que la poutine c'est gras : ça fait rire les Québécois pendant deux secondes et dès que vous avez le dos tourné, ils vous effacent de leur liste d'amis sur Facebook.

Ensuite, il y a cette habitude québécoise d'entendre régulièrement, à la radio, Pauline Ester, Philippe Lafontaine et Julie Pietri. Ça ramollit l'ouïe.

Enfin, et ce n'est pas rien, les infirmières de l'hôpital Sainte-Justine m'ont souri.

Oui, oui, je piétinais, anxieuse, le tapis des urgences avec une Sencha plus que fiévreuse dans les bras, et elles ont été adorables avec nous.

Et qui c'est qui crache des décibels en robe lamée pour pouvoir acheter de nouvelles seringues aux infirmières ?

144

Ben, c'est Céline.

Implacable.

Désormais, la critiquer me fait me sentir aussi coupable
que lorsque je me brosse les dents sans fermer le robinet.
Quel talent, quand même… Vous ne supportez pas sa
musique? Pas de problème, elle vous prend par les senti-
ments en pleine allergie infantile aux antibiotiques.

Il me vient même parfois l'idée d'aller faire du kayak
autour de l'île où elle a construit sa maison. Il paraît que
si on y est à 7 h 12, on peut voir sortir René en robe de
chambre pour ramasser son journal…

Qui suis-je, désormais?

Céline Dion m'a coupée des miens.

Elle risque de faire capoter ma réintégration dans mon
pays d'origine.

145

LE MENU CUBAIN

— Alors, tu as parlé de tes vacances avec tes collègues?

— Pas compliqué. Tout Montréalais qui se respecte est allé à Cuba au moins une fois dans sa vie. Je crois même que c'est obligatoire…

— Tu m'étonnes! Cuba a tout ce qu'ils n'ont pas : la plage versus les montagnes, le soleil versus la neige, la salsa versus Cœur de Pirate, le Che versus Jean Charest. Quand Dieu s'est rendu compte dans quel pétrin il avait fichu les Québécois, il s'en est un peu voulu. Alors il leur a filé Cuba…

— Oui, mais il y a quelque chose à Cuba qui ne plaît point aux Québécois.

— Quoi?

— La bouffe! Ils disent tous que ça manque de bœuf…

— …

— Tu te rappelles ce gars avec qui j'ai fait un billard à Trinidad? On a commencé à parler, tranquilles. Puis au bout de deux minutes, il bouillait, il n'en pouvait plus. Il m'a demandé comment je trouvais la bouffe cubaine. «Ça manque de steak, hein?», il m'a lancé. Et là, il me l'a montré. Son tatouage. En plein sur le ventre. Vingt centimètres sur 10. Rouge. Une entrecôte.

— Ce type avait une entrecôte tatouée sur le bide?

— Un T-bone, avec les marques du grill. Hé! Des huîtres cancalaises sur le biceps, tu crois que ça m'irait?

LE RETOUR

— Alors, ce qu'on peut faire, c'est que toi, tu atterris à Rennes avec Sencha, en voyageant avec mes miles. Et moi, je voyage avec Pablo, en prenant des billets moins chers. Donc en atterrissant à Nantes.

— La triste histoire de la classe moyenne… OK, ça roule.

— On décollera à peu près à la même heure. Alors… je commence par prendre nos deux billets. Réservés. Payés. Nickel. Maintenant je retourne sur le site d'Air France pour les vôtres. Ah.

— «Ah» quoi?

— Plus de billets.

— Un peu plus tôt?

— Non.

— Le lendemain?

— Rien.

— Oh, mon Dieu, ça y est! Mon âme et celle de ma fille sont condamnées à errer à tout jamais au pays des neiges! On dormira sous le pont Jacques-Cartier, nos quelques affaires remisées dans des boîtes de sirop d'érable vides… On mendiera des pacanes et des croûtes de Big Mac! Envolée, la douce France! Nous, abandonnées de tous… Mais je ne baisserai pas les bras. Jamais sans ma fille! Je…

— Le surlendemain, ça ira?

— On devrait pouvoir survivre.

147

LA PERPLEXITÉ

Je ne sais pas vraiment comment le prendre.
Hier, on batifolait, jambes nues et bras itou dans les
toboggans du parc.
OK, surtout Sencha.
Le printemps, le soleil, les tulipes colorées et les notes
sucrées du chant des oiseaux.

Ce matin, il neige.
Pas deux flocons déjà fondus, non.
Une vraie journée de neige, avec vent et tourbillons de
coton.
Vingt centimètres, qu'il devrait tomber par endroits.
C'est ce qu'a dit le serveur du bistro.

    – Il neige parce que les Canadiens ont gagné hier, il a
ajouté.
    – T'es comme ma grand-mère, toi, lui a répliqué son
voisin. La neige, ça doit toujours venir d'un truc plus
magique qu'un simple nuage de neige.

Alors, pas pédante, j'ai remis les gants, le bonnet,
l'écharpe et le manteau de neige qui était sur la liste
«à mettre au pressing[8]» depuis un mois.
Les Montréalais, eux, non.
Ils ont sorti les bottes de caoutchouc, les manteaux mi-
saison prévus exprès pour et se sont armés de parapluies.
De la neige? Où ça, de la neige?

---

8. Sous-titre: à envoyer chez le nettoyeur.

Des rebelles.

Remarque, un peuple élevé par une mère Nature qui, au milieu d'une canicule, vous colle deux, trois chutes de neige pour vous remettre à votre place, ça ne peut faire que des rebelles.

Et des écolo-sceptiques.

Quand j'ai levé les yeux vers la fenêtre, genre blanc-tourbillonnant, j'ai eu une seconde de flottement :

«Est-ce que j'ai fini de faire les cadeaux de Noël?»

Et puis non, c'est vrai, on est fin avril.

Cette neige, c'est comme une machine à remonter le temps.

Pendant quelques instants, je me suis dit : «Chouette, encore plein de temps à passer dans mon foutu pays des neiges préféré…»

LE GÂTEAU

– On aurait pu y penser avant, non ?

– …

– C'est de la négligence parentale.

– Ouais, enfin…

– Non, non. Vraiment. Faire naître son enfant au beau milieu de la Pâque juive, c'est irresponsable. Tu condamnes un pauvre petit bout de chou innocent à être privé d'une belle fête d'anniversaire avec autant d'amis que de cupcakes joufflus. La garderie est formelle : pendant Pessah, on ne consomme pas de pâte levée, donc pas de gâteau d'anniversaire.

– Y a sûrement un moyen…

– Tu penses à quoi ? Tartiner des tranches de pain azyme de confiture et les empiler les unes sur les autres ? Genre : comment avoir les trois ans les plus plates du monde !

– **Ha, ha ! *Happy matzo birthday* !**

– Et puis, va faire tenir trois bougies là-dessus, toi !

– Non, il y a d'autres trucs festifs et sans pâte levée. Je pensais plutôt à…

– Hors de question. N'y songe même pas.

– …

– Crois-tu que j'ai la tête d'une fille comme ça ? De celle qui restera dans les annales de la garderie comme la mère qui a servi une poutine d'anniversaire à la classe de sa fille ?

LES MARIE-MÊLE-DE-TOUT

   – C'est votre fille, madame ? Son lacet est défait !
Attention, elle pourrait se blesser.
   – Ah, euh, oui. Merci, madame. C'est gentil.

Trente pas plus loin.
   – Hé, vous devriez lui boutonner son manteau, votre
fille va attraper froid !
   – Euh, OK, d'accord.

Dix pas plus loin.
   – Mais mettez-lui son chapeau, madame, votre fille va
attraper froid !
   – Ouais, merci.
   – Vous laissez votre fille marcher sans lui tenir la main ?
Mais c'est dangereux ! Quand on a un enfant, il faut savoir
en prendre soin.
   – **Aaaaaaaaaaaaaaaah !** Et quand on a un avis, en
France, on se le garde pour soi ! Non mais, quoi ? Est-ce
que je porte un tee-shirt « mère sans permis » ? Est-ce que
c'est ça, le nouveau sens de la propriété privée nord-
américain ? Toutes les mémés québécoises se partagent
les enfants des autres ?

Je sais, j'ai tort de mal le prendre. Ces réflexions ? De
la pure bonté d'âme. Les Québécoises sentent que ma
maman me manque…

LE RABAIS

C'est bien parce que c'est moi.
Peut-être que c'est mon sourire…
Je ne sais pas si je fais bien d'en parler, tout compte fait.
Le genre de secret qui peut rendre jaloux.

Le Canada me fait un prix.
Tout le pays se met en promo pour mes beaux yeux.
«Ces deux boîtes de céréales? Dix piastres, madame, mais
aujourd'hui et rien que pour vous, elles seront seulement
à 7 euros! Cette belle chemise à 30 dollars? Non, allez, en
fait elle ne vous coûtera que 20 euros!»
Dans ma tête, sans s'arrêter, les prix fondent comme glace
dans la bouche.
Un tout petit coup de conversion magique et devant moi,
les rayonnages du supermarché s'envolent virtuellement
jusqu'en France où ils se posent, comme des papillons,
sur des étals aux prix affichés en euros.
Exquis.

Il y a bien ces rabat-joie.
Et ton salaire québécois, tu le convertis en euros?
Non, désolée, mon convertisseur n'a qu'un sens.
Mais pourquoi tu transposes? Tu gagnes un salaire en
dollars que tu dépenses en dollars. Et puis, tout compte
fait, ça revient exactement au même, ça…
Mais laissez-moi!
Laissez-moi m'imaginer acheter moins cher dans ma tête.

Laissez-moi goûter la joie exquise de consommer dans un perpétuel rayon de promotions. Laissez-moi l'euphorie de ne faire que des bonnes affaires!

Pour une fille pour qui réussir sa leçon de calcul mental signifiait fatalement s'asseoir à côté d'une bonne ardoise[9] et regarder à l'oblique.

Pour une fille qui passe désormais son temps à calculer des taxes et des pourboires sur une calculatrice interne très défaillante.

(Audrey, comment tu fais, toi, pour calculer le pourboire? Ben je prends la somme totale, je divise par deux, et encore par deux. Puis, je prends les deux taxes, je les ajoute entre elles, je compare les deux chiffres obtenus et j'essaie de prendre au milieu, mais sans les centimes.)

Non, franchement, pour une fille comme moi, cet exercice de conversion, c'est autant de points gagnés sur mon futur Alzheimer.

153

---

9. Sous-titre : une bollée.

LE RETOUR (BIS)

— C'est écrit : «Personne ne vous attend et votre histoire ne les intéresse pas.»

— Tu t'imagines quoi, Audrey? Que tout le monde sera dans le hall de l'aéroport avec des fleurs plein les bras, des bouquets de ballons et une grande banderole «*Welcome home!*»?

— Ne me dis pas que nos amis ont eu le mauvais goût de continuer à vivre pendant notre absence?

— (Soupir…)

— Attends, attends, la psychologue poursuit l'article ainsi : «Le choc culturel inversé vous donnera l'impression d'être un étranger chez vous, le sentiment de perte des repères affectifs, sociaux, associé à une impression d'inadaptation et de décalage profond avec l'entourage, l'environnement. Ce choc du retour devient une lutte devant le quotidien, qui se traduit par un manque de concentration, par de la tristesse ou une lourdeur émotionnelle, par un sommeil difficile ou excessif, par un manque de motivation pour des tâches ordinaires, par une ambivalence affective ou par de la peur.»

— Et à quel moment est-ce qu'on commence à avoir mauvaise haleine, les ongles qui tombent et le corps couvert de pustules vertes?

— Tu as tort de rire. Ça va être l'enfer, ce retour en France!

— Relaxe! Tu sais que pour la majorité de nos proches, on n'est pas vraiment partis!

— …

— Tous mes potes pensent que le Québec est un territoire français d'outre-mer.

154

LA VITAMINE

— «Farine enrichie de vitamine B », « lait enrichi de vitamine D », « jus d'oranges enrichi de calcium », « gouda enrichi d'oméga 3 » ! Mais regarde, il n'y a que ça dans tous les rayons des supermarchés !

— C'est la prospérité canadienne, même les yaourts font fortune, ici…

— Non mais, franchement, ça devient ringard de manger une pomme qui a juste un goût de pomme et des vitamines de pomme !

— **Ha, ha ! Notre pays d'accueil souffrirait-il d'une petite culpabilité alimentaire ?** Tiens, regarde, il y a même du pain blanc, qui est en fait du pain complet mais avec le goût et l'apparence du pain blanc.

— **Quoiiiiiiiiiiiiiiiii ?** Non ! Tu plaisantes, j'espère ?

— Du calme ! Mais qu'est-ce qui t'arrive ?

— Six mois d'efforts réduits à néant ! J'ai mis trois mois à comprendre ce que les serveuses des cafés voulaient dire par l'invasive mais récurrente requête « Pain blanc ou pain brun ? », puis trois autres mois à apprendre à devancer leur interrogatoire en spécifiant « Pis, des *toasts* au pain brun. » **Pfffff**. Je ne crois plus en rien…

LES JOURS FÉRIÉS

— Allo? Audrey?

— Allo? Ah, bonjour, Pépé! Ça va bien? Tu as de la chance de me trouver! Aujourd'hui, je suis à la maison parce que c'est férié. La garderie est fermée et je reste avec Sencha.

— Ah mais oui, évidemment! Les jours fériés sont différents au Québec! Ce doit être fort instructif d'apprendre de nouvelles traditions, de nouvelles anecdotes historiques, de nouveaux…

— Ah non, non! Moi, j'ai aucune idée des fériés d'ici, Pépé! C'est Shavuot! Moi, je peux te dire les dates de Erev Pessah et Sukkot, je peux te raconter l'histoire de Tu b'Shvat et de Hannukah, mais le reste…

— Ah. Très bien. Et qu'est-ce que tu vas dire à ta mère, qui rêvait que Sencha revienne avec l'accent québécois?

— Euh… shabbat shalom?

LE CUL-DE-SAC

Non, non, je ne m'en cache pas.

J'ai tapé «Quitter le Québec» dans Google, dans l'espoir de tomber sur des témoignages larmoyants de Français passant, le cœur brisé, par la porte de Trudeau, direction «*back to* France».

Avec tout ce qui leur reste du Québec dans trois pots de grenache.

Qu'on leur a ensuite confisqués à la douane.

Je m'attendais à lire les récits détaillés des nostalgiques qui essaient de refaire dans leur cuisine dijonnaise des beignes qui goûtent Tim Hortons, les histoires de Nantais désolés qu'on prenne leur Canada Goose pour un manteau de pêche, les anecdotes des rebelles qui continuent à conjuguer effrontément le verbe «peinturer» dans le fin fond du Larzac.

J'étais à la recherche d'un guide pratique sur le thème très personnalisé de «comment ça fait quand on rentre?».

Parce que rentrer, je n'en ai plus très envie.

C'est là que je suis tombée sur le site Internet «Quitter le Québec».

J'ai mis quelques minutes à comprendre.

Un repaire de Québécois voulant se faire la malle.

Je veux dire: volontairement.

Instinctivement, j'ai pensé qu'ils étaient allergiques au sirop d'érable. À moins qu'ils ne le soient au beurre d'érable. Peut-être aux flocons d'érable?

OK, pour être honnête, j'avais déjà entendu quelques Québécois se plaindre.

Pendant que le reste du monde vivait, comme Jack Bauer, des semaines stroboscopiques, dont les 7 tomes d'*À la recherche du temps perdu* ne suffiraient pas à raconter leurs dernières 24 heures, la vie des Québécois ressemblait à un long dimanche chez grand-mère.

Ou bien à Grand-Mère.

Ce qui revient à peu près au même.

Bref, il ne se passait rien au Québec.

J'avais décidé de laisser courir.

Mais là, devant ce site Internet arborant un fleurdelisé azur barré d'un grand «Cul-de-sac», je ne pouvais plus m'aveugler : il existe des Québécois qui renient leur paradis.

Et qui ne jurent que par l'Alberta, en plus.

Mais pourquoi?

Sur le site, certains disent qu'au Québec, il y a trop d'impôts.

Ce qui m'a rassurée un peu, par rapport à l'érable.

Il y a aussi ceux qui disent que les ponts québécois sont embouteillés et peu sécuritaires. (Personne n'avait pensé à me prévenir avant?)

Et puis, comble du comble, au Québec, des piétons traverseraient alors que le bonhomme[10] est rouge.

---

10. Sous-titre : la main.

Je suis restée de longues minutes à réfléchir (comme souvent les Français font quand ils n'y comprennent rien). Et la réponse m'est apparue : «Vous entendrez certes de ces Français qui vous diront que, tout compte fait, ils sont bien au Québec. Ne vous y méprenez pas. Ils font partie de ceux qui ont si peur de crever la faim au chômage en France qu'ils restent malgré tout.», témoignait une internaute.

C'était donc ça!

Alors j'ai prié très fort pour qu'aucun de ces Québécois déçus ne se retrouve un jour en France, le pays où personne ne regarde le bonhomme avant de traverser.

159

LES IMPÔTS

— Regarde, Pierre! Un restaurant qui offre de t'aider à remplir ta déclaration de revenus. **C'est fou!** Genre, tu manges tes *ribs* à l'érable et tu récupères ta déclaration de revenus remplie en même temps que l'addition.

— Mais pourquoi est-ce que les gens ne font pas leurs impôts eux-mêmes, ici? Ça ne devrait pas être plus insurmontable que comprendre les différents sens du verbe «pogner»…

— Parce que monsieur est occupé à dire des mots d'amour à madame.

— …

— Figure-toi qu'ici, mon cher, «mariage» n'égale pas, dans le langage courant, «réduction d'impôts». Marié ou pas, tu continues à faire deux déclarations séparées et tu paies toujours autant.

— **Non? Indécent!** Mais pourquoi les Québécois se marient-ils alors?

— L'amour, voyons. L'amour. C'est pour ça que pendant que la déclaration de revenus rapproche les couples français, qui voient combien de centaines d'euros Cupidon leur a encore fait économiser cette année, les couples québécois, eux, confient cette vile tâche à autrui et vont souper aux chandelles. Pour se rappeler combien leur passion mutuelle dépasse leurs dividendes. Touchant, non?

— Tu surestimes le romantisme d'un mangeur de *ribs* à l'érable, vu de face.

LE BUS

Prenons le bus!

Soyons fous, prenons le bus…

Oui, mais une fois dans le bus, pas de plan de la ligne…

Comment savoir où descendre?

Voyons… À quoi servirait un plan de bus qui recenserait des arrêts qui n'ont, de toute façon, pas de nom?

On descend quand on descend.

On vit le présent.

Oui, mais comment savoir où monter? Dès que les portes du métro s'ouvrent, les Montréalais se jettent à l'intérieur comme les pires des Parisiens.

Mais devant le bus, ils forment religieusement une file propre et nette dans leur ordre d'arrivée.

En attendant que la cloche sonne.

Prenons le bus, on verra bien…

Oui, mais comment savoir si l'on grimpe dans celui qui file vers l'est ou vers l'ouest, quand, comme tout bon collégien français, on a préféré les BD de la bibliothèque à la «course d'orientation[11]»?

Et comment savoir si, nous aussi, on est supposés remonter toute l'allée de ce transport qu'on a en commun pour saluer le chauffeur avant de descendre?

Ici, le bus est un machin d'initiés. Une épreuve pour les novices.

------

11. Sous-titre : rallye.

Qui te laisse subitement entre deux entrepôts, derrière un échangeur, en te disant en souriant, – jamais en ricanant, non… à moins que? – que c'est le terminus.
Pour te punir de dire encore «bus» à la place d'«autobus».
C'est le test qui te différencie du tout-venant français.
Le passeport vers la fierté de dire que non, on n'est pas touriste, madame.
Non, non, on-habite-bien-Montréal-regardez-on-a-même-un-permis-de-conduire-québécois-madame.
Alors, pourquoi on le prend, ce bus?

J'ai un truc.
Suffit de glisser, à l'intérieur d'un livre de poche dont le nom de l'auteur finit par Gagnon ou Tremblay, un petit plan de Montréal.
Et de suivre, avec son doigt, le trajet du bus.
En ânonnant bien le nom de tous les croisements:
Moutain Sight, Trans Island, Westbury, Prince of Wales, Melrose, Ballantyne.
C'est presque de la poésie.

LA FÉE DES DENTS

– «Et le lendemain matin, quand Hannah découvrit sous son oreiller le sou déposé par la fée des dents, elle ferma vite sa bouche pour protéger sa nouvelle fortune…» Voilà, Sencha, bonne nuit, mon p'tit chou, et à demain!

– Audrey? Tu peux venir deux secondes? Faut qu'on parle. C'est qui, cette fée des dents?

– C'est la…

– Non mais, tu te rends compte du mensonge dans lequel tu entretiens cette enfant? **Une fée des dents?** Et puis quoi encore? Peu importe notre degré d'insertion et de respect de la culture québécoise, elle est prête à entendre la vérité: le sou est amené par LA petite souris.

– …

– Non mais, franchement! Imagine une fée arborant un collier de quenottes mal brossées! Quelle parure magique…

– Oui, un vieux rat échappé d'un égout de laboratoire avec des canines en piercing, qui te frôle le nez, c'est tellement plus rassurant.

– Tu renies nos racines. Dentaires.

163

LA CIRCULAIRE

— Regarde le chariot de la dame de derrière. Qu'est-ce qu'il y a dedans?

— Dedans? Ben, du **brocoli**, des **Cheerios**, des **bleuets** et de la **viande à fondue chinoise**.

— Tout juste. Et dans le *caddy* du monsieur de devant?

— Voyons… Du **brocoli**, des **Cheerios**, des **bleuets** et de la **viande à fondue chinoise**.

— Et dans le nôtre?

— De la **viande à fondue chinoise**, des **bleuets**, des **Cheerios** et du **brocoli**. **Argh!** Mon Dieu, tu as raison, nous sommes tous sous son emprise! Sous l'emprise hypnotique de la **CIRCULAIRE!** La circulaire dit, «Cette semaine vous mangerez quatre fondues chinoises aux bleuets pour le prix de deux.» Et toute la ville lui obéit… Remarque, c'est pratique!

— Comment ça?

— Si tu veux faire étalage de ta classe sociale culminante, ici, pas besoin d'acheter des fringues de créateurs branchés, choisis juste des produits hors circulaire…

— Lui, là, il a pris des débarbouillettes sans parfum jamais en promotion.

— **Wow! Quelle classe…**

LE *SELF-MADE MAN*

J'ai regardé la crème glacée.
Et j'ai compris.

Derrière le comptoir vitré, la crémière – on va l'appeler
la crémière – a rapidement étalé, avec ses deux spatules
argentées, une montagne de glace onctueuse sur son plan
de travail gelé. Chocolat, parce que le monsieur, il voulait
chocolat.
Et puis, le monsieur, il a voulu qu'elle ajoute des Oreo et
des morceaux de Kit-Kat.
Elle a ajouté.
Et puis, il a demandé des flocons à l'érable, de la pâte de
cookie et des gommes ballounes.
Elle s'est exécutée.
Et puis, quelques fraises fraîches, s'il vous plaît.
Elle a complété.
Elle a trituré, mélangé, tout fait rentrer dans une jolie
coupe décorée et elle a tendu au monsieur le chef-
d'œuvre sur un plateau.
La glace de ses rêves. Pas deux comme elle.
Sa glace *do-it-yourself*. Ou presque.

C'est vrai que commander sa glace personnalisée, alors
qu'on a déjà du mal à choisir entre les 50 parfums qui
nous font de l'œil dans les bacs, ça n'a pas d'allure,
Inès a dit.
Juste après qu'elle a noté l'adresse du glacier pour foncer
s'en faire une.

C'est sur Saint-Denis.

À deux pas de là où l'on fait des nouilles *do-it-yourself*
(**1** - choisissez votre sorte de nouilles ; **2** - choisissez vos
ingrédients ; **3** - choisissez votre sauce ; **4** - choisissez
votre cuisson).

Et pas loin de là où l'on fabrique sa pizza soi-même.

Parce qu'ici, on est tellement au pays du *self-made man*,
que le pauvre *self-made man*, il est rendu à se faire lui-
même sa bouffe quand il va au resto.

Il prend les rênes, il prend le pouvoir, il veut être
in-dé-pen-dant.

Il veut faire sa glace tout seul. Moi, tout seul.

Un chef ? Quel chef ? Le chef, c'est moi…

Le Canadien ? Actif, mobile, ambitieux.

Celui qui est parti de rien et qui se fait tout seul, celui-là,
il est fier.

Les Marie-Chantale d'Outremont qui bossent au Starbucks
de Côte-des-Neiges, elles s'en foutent.

Du moment qu'elles s'assument et que papa-maman ne les
aident pas à payer leur auto.

Actives, mobiles, ambitieuses.

Elles trouveront de l'or.

Et puis, même si elles sortent d'une poubelle, ce n'est pas
grave.

Chez nous, ça ferait mauvais genre de sauter de son
couffin brodé pour aller chercher de l'or.

Ça salit.

Prendre un boulot de plongeur entre deux contrats de
mission d'ingénierie ?

Ça ne viendrait à l'esprit d'aucun Français.

Dans le cours de sociologie de Leslie, on appelle ça «la peur du déclassement».

Typiquement français.

Si l'on est né bourge, surtout, ne rien tenter qui pourrait renier notre beau statut social.

On se sent coupable si on est né aristo et qu'on se met à cultiver le maïs.

Virus inconnu ici.

Ici, on sent coupable si on est né aristo tout court.

Faut vite vite aller cultiver du maïs.

J'ai repensé à des collègues rigolards mais pas malintentionnés, qui me questionnaient, avant de partir:

«– Et t'as un job là-bas?

– Non, je vais chercher sur place.

– Ah oui? Oh, au pire, tu bosseras au Starbucks.»

Je dois dire que cela a été assez moteur.

Tu te bouges, ma fille, sinon tu serviras bientôt des mezzo frappuccino.

La décadence, d'un point de vue français.

Alors quand, mon ordinateur sous le bras, je vais rédiger un article en compagnie d'un Chaï latté, au Starbucks de Côte-des-Neiges, je hurle toujours à la cantonade: «Je vais bosser au Starbucks!»

Pour faire mine que je serais Canadienne.

Et que j'en serais vraiment capable.

LES GOUTTES

— Chaque Québécois consomme 420 litres d'eau par jour!

— Ils sont très sobres, les Québécois.

— Non mais, quand on sait qu'un Français n'en pompe quotidiennement que 140…

— Les Québécois se lavent, eux.

— Ce n'est pas écolo.

— Les Français devraient porter un tee-shirt qui dirait quelque chose du genre « *We were dirty before being dirty was cool* ».

— Peut-être qu'ils ne sont pas au courant qu'on ne vide pas l'eau de la piscine après chaque baignade?

— Moqueur! Non, moi, ça ne m'étonne pas cette consommation océanique. Comment un Québécois pourrait croire manquer un jour de flotte? Ici, on ne fait pas un pas qu'on est déjà entourés de quatre lacs. Même à Montréal, ils laissent les nids-de-poule pour faire plus de flaques d'eau.

— Rappelle-toi, quand on est arrivés, on croyait que la machine à laver, c'était la chambre de Sencha!

— Et tu oublies quelque chose. Qui risque de ne pas beaucoup te plaire.

— Quoi?

— Tes pompiers, là, il faut bien qu'ils légitiment leur sortie quotidienne toute sirène hurlante. Alors ils arrosent, ils arrosent et ils arrosent.

— Après eux, le déluge…

LES QUÉBÉCOISES

Elles sont incroyables. Tout le monde m'avait prévenue.

Ça commence à la page 1 : une grossesse plus courte que celles des femmes françaises.

Une semaine de moins.

On ne la leur fait pas, à elles… Le monde n'a qu'à bien se tenir. **Indépendantes, débrouillardes, féministes, revendicatrices : vive les Québécoises libres !**

Libérées de l'étiquette de femme-plumeau et de four à brioches.

On blague sur elles un peu comme sur Chuck Norris. L'humanité porte des pyjamas à l'effigie de Superman et Superman porte un pyjama à l'effigie d'une Québécoise.

La nuit, à Montréal, les femmes peuvent descendre du bus quand elles veulent, les chauffeurs n'ont qu'à obtempérer. Pour leur sécurité. Celle des femmes, je veux dire.

Elles peuvent discuter avec d'autres mecs que le leur sans que ceux-ci ne traduisent instantanément chacune de leurs paroles par « Mange-moi ! ».

Ici, les hommes peuvent gagner moins de dollars que leurs femmes. Ils peuvent assumer la moitié du congé maternité. Et s'ils ne paient pas la pension alimentaire due à madame leur ex, bam ! On leur enlève leur passeport.

Au restaurant, on apporte autant d'additions que de convives. C'est même arrivé que cela mette Sencha dans l'embarras. Elle n'a pas encore d'argent de poche.

Voilà la Québécoise. J'aime ce portrait.

Même s'il est souvent défiguré en image de matrone en marcel et à la poigne de fer : un pur fantasme d'homme, à mon avis.

169

Le Québec : un paradis où même les rues ont des noms
de *ladies*. Je veux dire, autres que Jeanne d'Arc et Marie
Curie.

Quelle chance elles ont…

Malheureusement, je me suis pris les pieds dans le tapis
dès le vestibule.

À mon premier pas en sol Canadien, on m'a délivré un
visa « au titre du projet pilote pour conjoint de travailleur
qualifié ».

Le nom de mon mec sur mon passeport. Le Canada ne
m'admettait que sur ses bons conseils. Merci de nous
avoir présentés.

Les Québécoises allaient me détester. Je me détestais
déjà.

170

Et puis.

Et puis, il y a eu ma recherche vaine, pendant près d'un
an, dans tous les magasins de lingerie possibles et ima-
ginables, d'un soutien-gorge qui ne serait pas triplement
rembourré.

Moi qui croyais qu'elles avaient brûlé les leurs.

Et ma découverte consternée de la tuerie misogyne de
Polytechnique, des réseaux masculinistes : plus âpre est
la lutte pour l'indépendance, plus sévère est la répression.

Et mes discussions avec ces hommes qui tiennent la porte
aux hommes, mais pas aux femmes, de peur d'être pris
pour des machos.

Non, le paradis du féminisme n'existe pas.

Mais quand même, elles sont fortes, ces Québécoises.

Elles m'épatent.

Surtout parce qu'elles ont gagné la bataille de la cuisine. **Imposer comme plat national le barbecue**, le seul accessoire de cuisine qui fait raidir ces messieurs : ça, c'était une bonne idée...

LA GRADUATION

– Que dit la lettre ?

– «Nous sommes fiers de vous inviter à la fête de graduation des classes des 2 ans et des 3 ans. Sencha et ses amis seront diplômés pour la belle année qu'ils ont passée à découvrir, à partager et à faire des efforts.»

– **Incroyable !** Un bal de finissants sans prémolaires…

– C'est plutôt sympa de fêter la réussite scolaire. Regarde, en France, on fête juste la fin de l'école. Si tu es dans les premiers de la classe, tu es une tête d'ampoule, si tu es dans les derniers, tu crains, et si tu es au milieu, tu indiffères.

– …

– Tu penses à quoi ?

– À cette vie de graduations commencée si précocement. Et à son budget «location de limousines».

172

LES PROVISIONS

– OK. Dernier carton scotché! Déménagement prêt pour le départ.

– C'est quoi, cette caisse marquée «provisions»?

– Ah, ça? Euh, rien… Deux trois trucs d'ici que j'ai envie de rapporter en France.

– Tu rapportes de la bouffe?

– Ben, trois fois rien… Des pépites de chocolat, du glaçage à cupcakes, de la confiture de bleuets, du beurre d'arachides, de la relish…

– De la relish? Tu vas faire traverser l'Atlantique à un pot de relish?

– Ce n'est pas un pot de relish, madame, c'est, c'est… une madeleine de Proust!

– J'ai déjà hâte de te voir tremper une cuillère de relish dans ta tasse de thé rennais…

173

LE GRAND PRIX

Quand on a décidé d'aller se balader sur Crescent, c'était pour voir des voitures.

Pour voir Lightning McQueen[12], en fait.

Depuis que Sencha ne jure plus que par les habits rouges qui vont vite, les baskets-surtout-pas-les-ballerines et l'humour, pas vraiment anglais, des bagnoles de *Cars*, il nous a fallu revoir nos ambitions.

Et certaines de nos sorties du dimanche, aussi.

Bêtement, je croyais qu'à l'occasion du Grand Prix du Canada, dans les rues en ébullition festive du centre-ville, on donnait au peuple ce qu'il voulait voir : des voitures de course !

Alors qu'en fait, on donne au peuple ce qu'il veut voir :

des poupounes !

Elles sont partout. Entourées de mâles souriants qui leur font des appels de phares. Et qui se font photographier avec l'une d'elles dans un bras et une bouteille de champagne dans l'autre.

Elles sont maquillées, elles ont chaud, elles en ont marre. Mais elles sont payées pour ça.

Les poupounes du Grand Prix.

Vous n'imaginez même pas la déception de Sencha.

Comme si une fille pouvait valoir une voiture.

Des voitures, finalement, on en a trouvé. Pas des bolides de courses.

174

---

12. Sous-titre : Flash McQueen.

Non, des Porsche, des Maserati, des Lamborghini.

En train de se faire promener comme des toutous en laisse par des bellâtres au teint trop italien pour être vrai. Attendant à un feu rouge imaginaire, parlant sur leur cellulaire à une personne imaginaire, et caressant la cuisse, bien réelle celle-là, de leur fiancée bien carrossée.

Montréal, Monaco : même combat.

Montréal bling-bling. Maquillée comme une voiture volée. En regardant le feu orange clignoter et cette ville, transformée pour un week-end en une créature étrangère à mes yeux, je suis subitement devenue fière de ce qu'elle était tous les autres jours de l'année.

Parce qu'autant l'avouer, parfois, quand les copains français débarquent ici pour deux jours, qu'ils me questionnent sur l'itinéraire fabuleux des coins montréalais à ne pas manquer, j'ai un petit peu mal au ventre.

Ici, ce ne sont pas les Champs Élysées.

Il faut aimer cette couleur de brique, tomber raide dingue devant des pelouses et pas des jardins à la française, admirer la peinture écaillée des gros paquebots du Vieux-Port, apprécier les saveurs mélangées de tous les pays du monde, les rires en terrasse la nuit.

Montréal, ça n'est pas du tout cuit.

Montréal, ça n'est pas une poupoune.

Ou alors une poupoune, mais sous une combinaison de ski.

175

L'INTERCULTUREL

— Allez, Sencha, mets tes chaussures, on va manger chez les amis.

— Mais maman, les amis, ils parlent anglais ou portugais ?

— Euh, français, Sencha. Ils parlent français.

— Est-ce que ils manzent kasher ?

— Ben non.

— Et est-ce que ils vont dire « on va dîner » ou « on va souper » ?

— …

— Et est-ce que ze dois enlever mes saussures quand ze rentre ou non ?

— **Bon sang ! Un an d'ouverture culturelle, et cette gamine est complètement mélangée…**

176

LES BALEINES

— La loi dit quoi ?

— Six bateaux maximum, je crois, qui ne doivent pas approcher à moins de 200 mètres de la baleine.

— Et là, ils sont… ?

— J'en compte douze, à moins de 50 mètres de la baleine à bosses.

— **Ils croient que les baleines ne savent pas compter.**

— Et que propose madame la militante écologiste ?

— Moi ? **Rien !** Juste que les touristes s'assument un peu plus. Je remplacerais tous les tapis de souris des boutiques de souvenirs qui clament « J'ai vu les baleines à Tadoussac », par d'autres avouant **« J'ai pourri la vie des baleines à Tadoussac ».**

— Parfait. Et qu'est-ce que tu penses d'un comité de soutien au krill ?

L'AVIS DE TEMPÊTE

– Qu'est-ce que tu fais?

– Je prends du **OFF!** pour la randonnée, parce que je viens de regarder la météo.

– …

– Ben oui, là, Audrey, regarde les prévisions! À droite, le bulletin météo et à gauche, le bulletin moustiques!

– Le quoi?

– Il évalue la prolifération des bibittes. Par exemple lundi, **30 %** de risque d'averse et **risque élevé de maringouins**. Mardi, **40 %** de risque d'orage et **risque modéré de mouches noires**.

– Et jeudi, risque de vent de sauterelles? Et vendredi, il pleut des saucisses? Attention, Pharaon, j'espère que tu as allumé un cierge…

– À ton avis, la moustiquaire, je la mets plutôt par-dessus ou par-dessous mon K-Way?

178

LE PETIT NOIR

— Pierre, tu dors?

— ...

— Je ne veux plus rentrer.

— ...

— On pourrait rester. Dans ce pays où l'on ne te prend pas de haut parce que tu es couleur café au lait, où l'on te sert toujours ton café au lait avec le sourire, où la fée magicienne du *free refill* remplit gratuitement ton café au lait à l'infini et où personne ne te juge parce que tu as mis trop de lait et pas assez de café. Alors, si on restait?

— (Bâille) Le temps que tu finisses ta tasse?

— Aussi longtemps que le Québec goûtera l'excitant...

— (Soupir) Et le vieux continent?

— Petit. Serré. Manque de sucre.

179

SAISON SUPPLÉMENTAIRE :
LE RETOUR

DANS LES ÉPISODES PRÉCÉDENTS...

Les cartons sont partis. Par bateau.

Personne ne leur a demandé ce que ça leur faisait, à eux. S'ils étaient tristes ou contents.

Ils auraient sûrement répondu les deux : contents d'arriver en France et tristes de quitter le Québec.

Le lendemain de leur départ, le port se met en grève.

Les cartons restent en *stand-by* entre ici et là-bas.

Audrey dit qu'elle les entend se marrer dans leur *container*, bien aises d'avoir trouvé la solution.

Pierre, lui, refuse de s'identifier. Il pleure plutôt sa vaisselle déjà repartie à l'autre bout du monde. Et insiste sur le fait que passer du lave-vaisselle aux fourchettes jetables ne fait absolument pas partie de sa culture.

Audrey et Pierre rangent, nettoient, enlèvent les traces de scotch sur les portes de l'appartement... Ils se préparent, tout simplement, à l'état des lieux[13].

Les propriétaires trouvent ça rigolo. Sûrement parce les Français sont réputés dyslexiques de la savonnette. Et que, paraît-il, tous les Québécois ne connaissent pas le concept de l'état des lieux. Ils laissent plutôt les lieux en l'état.

---

13. L'état des lieux est le document officiel qui décrit minutieusement un logement au début de sa période de location et à la fin. La comparaison de l'état du logement permet de déterminer à qui incombent les réparations et rénovations à la fin du bail.

Quelques semaines plus tard, la famille suit les cartons. Persuadée qu'une fois les vacances françaises terminées, elle gravira de nouveau Côte-des-Neiges.
Se mentir à soi-même est d'une formidable efficacité dans la résolution des problèmes…

Où ça, des problèmes? Sencha n'en voit pas. «Ben quoi? Les amis du Canada, on les verra sur l'ordinateur, maman!»
Il va falloir recharger les piles.

L'ACCENT

— «C'est poche, ça, mais t'es pas tanné que c'te gang de niaiseux-là, ils capotent en tabarnouche? Y m'énarvent, les chialeux! Ça n'a pas d'allure.» Non, ça ne va pas. «Ç'a pô d'allure.»

— Tu peux me dire ce que tu fais, là, Audrey?

— Je m'entraîne.

— Tu t'entraînes?

— Je m'entraîne à avoir l'accent, quoi. Pour faire plaisir aux copains français. Je sens que si on revient sans accent, ils vont être déçus.

— …

— Je sais qu'ils vont me dévisager en me demandant **«Alors, vous n'avez pas pris l'accent?»** Genre, mais qu'est-ce que vous avez bien pu faire pendant un an? Eh bien là, je leur dis ma phrase et tout le monde est content. C'est le petit souvenir que je leur rapporte. Ça ou de la tarte aux pacanes, de toute façon…

— Et tu n'as pas l'impression d'entretenir une image un tout petit peu clichée?

— Qu'est-ce que tu veux que je leur dise, moi? Que oui, on comprend plutôt pas mal les Québécois. Que oui, le patois brestois vaut largement celui des îles de la Madeleine? Que les Québécois ne disent pas seulement «bonne fin de semaine» et «chien chaud», mais qu'ils connaissent aussi l'existence des mots «weekend» et «hot-dog»? Après, ils vont croire que c'est seulement Céline Dion qui a un problème d'élocution…

185

LE SOUTERRAIN

— Alors, votre hiver sous la terre?

— On a le teint si blanc que ça? C'est pour ça qu'on est systématiquement accueillis d'un «tiens, des revenants!»?

— Mais non, tu sais bien, la ville souterraine! Les Québécois passent l'hiver dans la ville souterraine, c'est bien ça?

— Oui, ils s'enroulent dans leurs grandes capes noires, boivent un demi-litre de sang et referment sur eux le couvercle de leur cercueil avant qu'un flocon ou un rayon de soleil ne brûle leur peau.

— C'est ton nouvel humour?

— Mais non, mais faut arrêter avec la ville souterraine. À moins d'être complètement nostalgique du Forum des Halles de Paris, ou d'avoir envie d'écrire un guide gastronomique sur les foires alimentaires, les Montréalais ne passent pas chaque jour de leur hiver à errer dans les boutiques blafardes des couloirs souterrains. À guetter les vibrations du retour du chant des oiseaux.

— Mais comment ils font quand il neige?

— Et bien, ils marchent dans la neige.

— Impressionnant. Alors en fait, les Québécois qui passent l'hiver dans des galeries, c'est du flan?

— Pas exactement… Le truc, c'est qu'ils y passent l'été, aussi.

LE RÊVE

Je me l'étais imaginé. Bien sûr que je l'avais visualisé, ce retour.

Ça me ferait sacrément bizarre. On trouverait ça drôle. On aurait un regard neuf sur tout. On ne se sentirait plus chez nous, chez nous.

Eh bien si.

On est bien, de retour chez nous.

En fait, c'est comme si on était partis hier.

Il y a bien des bébés qui sont nés, des kebabs qui ont fermé, des sens qui sont devenus interdits.

Mais le sentiment de familier, lui, est revenu instantanément me coller à la peau.

La bonne nouvelle, c'est que les sourires des copains n'ont pas pris une ride.

Par contre, certains matins, dans la pénombre des secondes durant lesquelles j'essaie de me rappeler dans quel lit je me réveille, j'ai cette drôle d'impression.

Que j'ai rêvé.

Que cette année ailleurs n'a jamais existé.

« Quelle expatriation ? a demandé Pierre. Quelle année à l'étranger ? Montréal ? Mais voyons, tu n'y as jamais mis les pieds ! Audrey, ça va ? »

Ça ne m'a pas fait rigoler.

La France ne niera pas ce bout de Canada qui est en moi. Je n'ai pas rêvé. **Regardez, j'ai des preuves : mon gel douche est bilingue**.

J'ai emballé mes dollars dans des sacs transparents, comme si c'étaient des pièces à conviction.

J'ai mis de côté mes adaptateurs de prises, comme si c'étaient des fossiles.

J'ai recommencé à dire « **de rien** », comme si c'était normal.

Mais dedans, j'ai un peu changé.

Et dessus, je tartine de beurre de *peanut*, juste pour me le rappeler.

LA BALANCE

– Ah, Audrey! De retour? Mais ça, alors! Tu n'as pas grossi, en fait?

– Moi aussi, je suis super contente de te revoir.

– Je te voyais déjà obèse…

– Suis-je du genre à me promener les lèvres constamment pendues à une sloche assortie à la couleur de mon tee-shirt?

– Non mais, franchement, tout ce qu'on mange est gras là-bas, non? Comment tu as fait?

– J'ai dit au mec qui pointait ce revolver sur ma tempe en m'obligeant à cuisiner des burgers-frites tous les jours de sortir de ma cuisine.

– Quoi?

– **Bon, tu veux mon secret?** J'ai arrêté le régime français: les deux apéros, le verre de vin et la bière pour fêter ça, arrosés d'un bout de fromage à tous les repas. Le gras, finalement, il n'est pas toujours là où on croit… Tu reprends un verre ou…?

LA FAIM

— Finalement, on a de la chance, tu sais… De nous en être tirés… D'en être revenus…

— Comment ça?

— Tu n'as pas remarqué? Quand on parle du voyage, qu'est-ce que tout le monde dit?

— **Euh… «Vous n'avez pas eu froid?»**

— Non, tout le monde dit qu'il a un copain qui habite au Canada. Un vieil oncle qui a émigré pour devenir bûcheron; un cousin, qui n'est jamais revenu d'HEC Montréal; une copine, qui s'est mariée avec un mec super cool de Toronto. Tout Français sacrifie encore régulièrement un frère ou une sœur, envoûté par l'appel de la forêt et du nouveau monde. Tombé sous le charme du «il y fait si bon vivre»…

— Ouais, d'ailleurs, il y a des copains qui m'ont demandé pourquoi on était revenus…

— Ce ne sont pas des copains, alors. Mais ils ont raison. Le Canada est une machine à bouffer les Français. Un aimant à tricolores. La plupart de ceux qui y partent y sont engloutis à jamais.

— On a eu chaud…

— **Non. On n'a pas eu froid.**

— Tu ironises, Audrey, mais je sais qu'au fond, tu les envies, tous les bienheureux qui restent, ceux qui jouissent de chaque flocon de leur existence et de ce qui se cache au verso. Il te faut tout un livre pour l'avouer?

— Ben… C'est vrai que derrière la neige, j'ai cru voir quelque chose bouger. Mais je ne suis pas bien sûre.

En fait, tu sais quoi ? Il faudrait peut-être qu'on y retourne, pour vérifier, non ?

– C'est pour ça que, depuis deux mois que l'on est rentrés, on n'a toujours pas ouvert nos boîtes ?

– Maintenant que tu le dis…

– **Une cinquième saison derrière la neige, alors ?**

– Dans les *Feux de l'amour*, il y en a 38, de saisons.

– OK, ne bouge pas, j'écris au scénariste.

L'utilisation de 1971 lb de SILVA ENVIRO 114 M plutôt
que du papier vierge aide l'environnement des façons suivantes :
Arbres sauvés : 24
Réduit la quantité d'eau utilisée de 74 129 L
Réduit les émissions atmosphériques de 2430 kg
Réduit la production de déchets solides de 936 kg

C'est l'équivalent de :
Arbre(s) : 0,5 terrain de football américain
Eau : douche de 3,4 jour
Émissions atmosphériques : émissions de 0,5 voiture par année

Marquis imprimeur inc.

Québec, Canada
2011